RENÉ DESCARTES

Discours de la méthode

précédé de

Descartes inutile et incertain
PAR JEAN-FRANÇOIS REVEL

Commentaires et notes
PAR JEAN-MARIE BEYSSADE

LE LIVRE DE POCHE

« Descartes, inutile et incertain. »
Pascal, *Pensées*
(Ed. Brunschvicg, p. 361.)

DESCARTES INUTILE ET INCERTAIN

CE serait un puissant briseur de mythes, l'auteur qui parviendrait à défaire le lien établi entre l'adjectif « cartésien » et la notion de rationalité, qui nous délivrerait de l'usage habituel de « cartésien » comme synonyme de « méthodique » et de « logiquement cohérent ». Une grave erreur historique serait ainsi effacée et, d'autre part, on verrait disparaître un tic de langage bien superflu — l'invocation du patronage cartésien à propos de toute démarche impliquant apparemment quelque suite dans les idées.

Descartes est, avec une quasi-unanimité, considéré à la fois comme un modèle de rigueur intellectuelle et comme le fondateur du rationalisme moderne. Les deux opinions, à vrai dire, ne doivent pas être confondues. La première relève d'un examen interne du système de preuve utilisé par Descartes dans sa philosophie, d'un examen externe et comparatif des résultats auxquels il est arrivé, compte tenu des

problèmes qui se posaient à son époque, et
compte tenu des résultats obtenus par d'autres
chercheurs disposant des mêmes informations
que lui. La seconde soulève la question du rationalisme, et de ce qu'il convient d'entendre par
ce terme. A première vue, quelqu'un peut dif-
ficilement être rangé parmi les rationalistes
s'il néglige obstinément toute information
contraire à ses thèses, toute vérification péril-
leuse pour elles. Rigueur dans la méthode et
rationalisme doivent donc bien, normalement,
aller de pair ou se rejoindre. Mais il reste que
des penseurs irrationalistes peuvent manifester
une grande capacité d'organisation « logique »
dans l'exposé de leur doctrine, au moins quant
à la forme. Des rationalistes, inversement,
peuvent travailler dans un désordre apparent,
qui n'a de réalité que psychologique. Des para-
noïaques peuvent être d'une exemplaire méti-
culosité dans l'argumentation, sans être le
moins du monde rationnels. On peut éventuel-
lement adhérer à un rationalisme global et mal
défini comme on adhérerait à n'importe quelle
vision métaphysique (encore que les besoins
satisfaits par la métaphysique n'aient ordinairement pas d'affinité avec un tel choix), ou
encore par conformisme social, ce qui dut se
produire quand régnait le « scientisme » du
XIXe siècle (s'il a jamais complètement régné,
puisque le XIXe a pu être également décrit
comme une suite d'explosions irrationalistes).
Que Descartes soit chronologiquement le premier philosophe de type moderne, par ailleurs,
c'est incontestable. Reste à savoir dans quel

sens il faut entendre cette expression et quelle
fonction le « philosophe moderne » commence,
avec Descartes, à remplir dans l'ensemble de la
culture. Cette fonction ne coïncide pas nécessairement avec la rigueur intellectuelle, ni
même avec le désir d'assumer ce qu'il y a de
moderne dans la culture moderne, ni toujours,
tant s'en faut, avec le rationalisme.

Si j'applique à Descartes l'expression de
« philosophe moderne », c'est dans le sens où
j'ai défini la philosophie moderne en l'opposant
à la philosophie ancienne, dans le premier chapitre du tome II de mon *Histoire de la philosophie occidentale*[1]. En effet, Descartes est le
premier philosophe de l'histoire des idées qui
se trouve dans la situation que j'ai décrite
comme caractéristique du penseur moderne et
impliquant pour la philosophie un déplacement
radical dans la topographie du savoir. Le
XVIIe siècle est celui où le contraste entre
science et philosophie est perçu comme un fait
culturel fondamental. La méthode requise pour
la pratique de la science est perçue elle-même
comme distincte du mode de pensée traditionnel en philosophie. Newton en particulier
a souligné en des phrases célèbres l'incompati-
bilité des deux façons de procéder. On cite
souvent, par exemple, la première phrase de
l'*Opticks* : « Mon dessein dans ce livre n'est pas
d'expliquer les propriétés de la lumière à l'aide
d'hypothèses, mais de les exposer et de les

---

1. Stock, 1970. Livre de Poche, 1975.

démontrer par la raison et par les expériences [1]. » On cite plus souvent encore le mépri-
sant « je n'imagine point d'hypothèses » (*Hypo-
theses non fingo*) qui se trouve dans les
Principes mathématiques [2] : « Je n'ai pu encore,
y écrit plus précisément Newton dans le
Scholium generale, parvenir à déduire des phénomènes la raison de ces propriétés de la gra-
vité, et je n'imagine point d'hypothèses. Car
tout ce qui ne se déduit point des phénomènes
est une hypothèse : et les hypothèses, soit métaphysiques, soit physiques, soit mécaniques,
soit celles des qualités occultes, ne doivent pas
être reçues dans la philosophie expérimentale. »
Ces textes sont, bien entendu, postérieurs à
Descartes qui est mort en 1650, mais ils constituent la simple répétition des principes direc-
teurs galiléens et de nombreuses autres décla-
rations du même genre bien antérieures à
Galilée [3]. Pour Newton comme pour Galilée, il
ne s'agit pas de condamner les hypothèses, au
sens d'explications plausibles quoique non
encore entièrement vérifiées. Les œuvres de
Newton sont elles-mêmes remplies de telles
hypothèses, sans lesquelles la recherche n'existerait pas. Mais le caractère hypothétique d'une

---

1. *Opticks or a Treatise of the Reflexions, Refraction,
Inflexions and Colours of Light. Also Two Treatises of the
Species and Magnitudes of Curvilinear Figures* (1704).
2. *Principia mathematica philosophiae naturalis* (1687).
Trad. fr. par Mme du Châtelet, 1756.
3. De Galilée sur ce point, voir notamment la *Lettre à la
Grande Duchesse de Toscane.*

interprétation peut tenir à ce qu'elle se dessine à la frontière de notre connaissance des faits, telle qu'elle est au moment où le savant les interprète ; ou bien elle peut tenir au contraire à ce que la spéculation ignore, volontairement ou pas, les faits accessibles. C'est la deuxième sorte d'hypothèses, les hypothèses « gratuites » que vise Newton, comme l'indique l'emploi du verbe *fingo* : « forger de toutes pièces », « fabriquer arbitrairement ». Ce qui est donc à la base de cette polémique, c'est la distinction entre hypothèse scientifique et hypothèse métaphysique, distinction affirmée à la fin de la Renaissance pour la première fois comme fondamentale, clairement perçue par les contemporains comme découlant de l'existence d'une méthode jamais pratiquée auparavant de façon conséquente.

Le problème est donc de se demander comment Descartes a réagi en face de cette nouvelle méthode, s'il l'a lui-même pratiquée — puisqu'il avait pour son propre compte des ambitions scientifiques —, ou quelle méthode il a lui-même inventée et s'il a réussi dans cette révolution épistémologique à créer un nouveau type de philosophie tenant compte ou même rendant compte de la nouvelle organisation du savoir.

Quel but Descartes assigne-t-il à la philosophie ? Quelle méthode suit-il pour atteindre ce but ? Quel est le contenu de sa philosophie, tel qu'il résulte de l'application de cette méthode ? Quelles sont enfin les solutions de la philo-

sophie cartésienne aux problèmes qui se
posaient à la connaissance de son temps ?

⁘

Les deux premières questions reviennent à se
demander en quoi consiste la « révolution
cartésienne », que l'on présente souvent
comme l'acte fondateur de la philosophie
moderne. Double révolution : intellectuelle
d'abord, remaniant le dessein et la définition
de la philosophie, méthodologique ensuite.

L'idée que se fait Descartes de la philosophie
et de ses attributions se trouve, par exemple,
exposée dans la préface des *Principes de la
Philosophie*, texte dont la date, 1647, permet
d'affirmer qu'il s'agit de l'état définitif de la
pensée de l'auteur. Descartes s'y propose, dit-il,
d' « expliquer ce que c'est que la philosophie,
en commençant par les choses les plus vulgaires, comme sont : que ce mot de *philosophie*
signifie l'étude de la sagesse, et que, par la
sagesse, on n'entend pas seulement la prudence
dans les affaires, mais une parfaite connaissance de toutes les choses que l'homme peut
savoir, tant pour la conduite de sa vie que pour
la conservation de sa santé et l'invention de
tous les arts ; et qu'afin que cette connaissance
soit telle, il est nécessaire qu'elle soit déduite
des premières causes, en sorte que pour étudier à l'acquérir, ce qui se nomme proprement
philosopher, il faut commencer par la recherche
de ces premières causes, c'est-à-dire des prin-

cipes [1] ». Ce qui frappe, dès l'abord, dans ce texte, c'est son caractère traditionnel : l'objet de la philosophie, c'est une sagesse universelle, comme il ressort des conceptions « les plus vulgaires », terme n'ayant ici rien de péjoratif et signifiant « les plus connues », « les plus habituelles ». « Sagesse » comporte pour Descartes toutes ses implications anciennes : à la fois science, art de vivre, morale et technique (« les arts »). Ces lignes pourraient avoir été écrites au ve siècle avant notre ère, puisque Descartes y envisage même la médecine comme une partie de la philosophie, à l'instar d'Empédocle. Il a même envisagé de pouvoir, en appliquant ses principes généraux, prolonger indéfiniment la vie humaine. Philosopher, c'est donc élaborer un système complet de la réalité, théorie et pratique comprises, et un système définitif, fixé une fois pour toutes : « une parfaite connaissance de toutes les choses que l'homme peut savoir ». *Toutes* les choses que l'homme peut savoir ayant été ainsi articulées d'une seule venue dans leur *perfection*, il n'y aura plus qu'à appliquer ces connaissances, qui auront d'ailleurs une validité pratique éternelle et universelle ; elles serviront en effet à « l'invention de *tous* les arts [2] ».

Une telle conception de la philosophie consti-

---

1. *Lettre de l'auteur à celui qui a traduit le livre, laquelle peut servir ici de préface.* L'édition latine des *Principia* est de 1644, la traduction en français de 1647.
2. C'est moi qui souligne.

tue une régression considérable par rapport à tout le travail critique accompli au XVe et au XVIe siècle. Descartes recommence tranquillement à identifier la philosophie à la totalité de la connaissance et de l'action (« la prudence dans les affaires »), il écarte par conséquent le sentiment des différences, de la technicité particulière à chaque domaine théorique ou pratique, de la diversité des objets et des hommes, que la Renaissance avait, pièce à pièce, opposé au dogmatisme unitaire de la scolastique médiévale. Il élimine aussi la dimension historique de la connaissance, sa progressivité, l'acceptation moderne de l'impitoyable « au fur et à mesure » de notre compréhension du réel. Il en élimine aussi, de ce fait, bien entendu, le caractère collectif, signe distinctif du travail scientifique, c'est-à-dire la complémentarité des résultats, leur caractère accumulatif, et leur continuité de génération en génération. Descartes pense en outre naïvement, en philosophe à l'ancienne mode, que, pendant des milliers d'années, tous les humains avant lui, et notamment les plus brillants penseurs, n'ont fait que battre la campagne et qu'à un moment donné du temps a surgi un individu, qui, sans qu'on puisse s'expliquer cette discontinuité soudaine, que rien n'a préparée, non seulement résout tous les problèmes sur lesquels ses prédécesseurs se sont acharnés en vain, mais les résout une fois pour toutes. Cette façon de peindre l'apparition soudaine de la vérité, au travers d'un homme unique chargé de la manifester, s'apparente plus à la vision religieuse qu'à la connaissance scientifique, même si c'est la « raison » qui est mise en œuvre ou du moins invoquée dans cette démarche. Pourquoi cet homme se met-il brusquement à se servir correctement de sa raison, sans que rien avant lui ne l'y incite, ni autour de lui ne l'y aide ? Descartes, sans répondre à la question, se borne à constater qu'il est l'heureux élu. « Il y a eu de tout temps de grands hommes, écrit-il, — toujours dans la préface des *Principes* — qui ont tâché de trouver... la sagesse... Toutefois *je ne sache point qu'il y en ait eu jusqu'à présent à qui ce dessein a réussi*[1]. Les premiers et les principaux dont nous ayons les écrits sont Platon et Aristote, entre lesquels il n'y a eu autre différence sinon que le premier, suivant les traces de son maître Socrate, a ingénument confessé qu'il n'avait encore rien pu trouver de certain[2]... ; au lieu qu'Aristote a eu moins de franchise ; et bien qu'il eût été vingt ans son disciple, et qu'il n'eût point d'autres principes que les siens[3], il a entièrement changé la façon de les débiter, et les a proposés comme vrais et assurés, *quoiqu'il n'y ait aucune apparence qu'il les ait jamais estimés tels*[4]... Ceux qui vinrent après eux s'arrêtèrent plus à suivre leurs opinions qu'à chercher quelque chose de meilleur ; et la principale dispute que leurs

---

1. C'est moi qui souligne.
2. Platon n'a jamais rien confessé de tel.
3. C'est inexact, bien entendu.
4. A l'inintelligence de Platon, Aristote joint la mauvaise foi.

disciples eurent entre eux fut pour savoir si on devait mettre toutes choses en doute, ou bien s'il y en avait quelques-unes qui fussent certaines ; ce qui les porta de part et d'autre à des *erreurs extravagantes*[1]. »

La philosophie donc s'étend à tous les domaines de l'action et du savoir, elle peut et doit contenir le système complet des connaissances, ce système peut et doit atteindre à la perfection en même temps qu'à l'universalité. Reste enfin une dernière marque de la philosophie selon Descartes, d'après le premier passage cité plus haut : cette science parfaite et intégrale est « déduite des premières causes ». Autrement dit, tout le système du savoir tel que Descartes l'a décrit, est tiré, par une opération purement intellectuelle, d'un petit nombre de principes *a priori* estimés évidents. Cette affirmation est capitale, car elle implique la méconnaissance de la vraie révolution intellectuelle du XVIIᵉ siècle, c'est-à-dire de la méthode consistant à aller des faits aux causes et non plus à supposer des principes universels dans la nature pour en déduire les phénomènes et leurs explications. L'usage cartésien de la notion de causalité tourne le dos à la science de son temps, dont sa philosophie ne peut donc nullement être considérée comme la « totalisation » ni même comme le début d'une prise de conscience moyennement lucide. Inconscient des concepts

---

1. C'est moi qui souligne.

neufs qui naissaient sous ses yeux, Descartes recommande « de *commencer* par la recherche des *premières* causes, c'est-à-dire des principes », ce qui est préconiser le retour aux physiques et aux biologies déductives de l'Antiquité, dans ce que l'Antiquité offrait de plus stérile, et non pas dans ce qu'elle offrait de points d'appui pour lutter contre la scolastique. Du reste, on voit mal en quoi la proposition que je viens de citer se distingue de ce que pourrait signer n'importe quel scolastique. Descartes est parti en guerre contre l' « école », ce qui n'avait rien de bien neuf, puisqu'il y avait deux siècles que cette guerre était commencée, mais contrairement à Montaigne ou à Galilée, il part en guerre contre elle, non pour substituer un nouveau type de pensée à l'ancien, mais pour substituer de nouvelles thèses aux anciennes thèses à l'intérieur du même type de pensée.

Aussi ne faut-il pas se méprendre sur les applications pratiques et les expériences dont Descartes annonce le programme à la fin du *Discours de la Méthode*. Il ne se propose pas d'expérimenter au sens où Galilée le faisait. A l'inverse, comme Platon, il a confiance dans la validité absolue de ses principes *a priori*, aperçus par la seule lumière du raisonnement, et donc, par avance, il est sûr de leur efficacité dans la pratique. Lorsqu'il parle de nous rendre « comme maîtres et possesseurs de la nature », il n'a pas dans l'esprit autre chose que ce que pouvait avoir Empédocle ou même

un alchimiste, c'est-à-dire n'importe quel doc-
trinaire persuadé que la mise en œuvre de
principes fondés sur des vérités éternelles et des
certitudes selon lui absolues ne peut manquer
de produire infailliblement les fruits attendus.
Descartes a pratiqué la dissection, certes, mais
les Anciens et notamment Galien l'avaient pratiquée aussi. Il ne suffisait pas au XVIIe siècle de
pratiquer la dissection pour être un expérimentateur au sens moderne du terme, puisque aussi
bien Descartes a puisé dans cette pratique,
entre autres erreurs, de quoi bâtir une explication de la circulation du sang « réfutant »
celle de Harvey.

Descartes a éprouvé la première intuition de
sa future méthode comme une sorte de révélation, d'illumination survenue au cours de la
nuit du 9 au 10 novembre 1619, alors qu'âgé de
vingt-trois ans il se trouvait en quartier à Neu-
bourg, sur les bords du Danube, dans l'armée
du duc de Bavière. Pour qu'il ne manquât rien
à cette vision exceptionnelle, c'est par l'entremise de trois rêves divinatoires que Descartes
prend conscience de la mission qui lui est
impartie et, pour remercier Dieu de la lui
avoir confiée, il fait vœu de se rendre en pèle-
rinage en Italie à Notre-Dame de Lorette, ce
qu'il fait effectivement cinq ans plus tard. Par
la suite, il se comporte en tous points comme
un homme convaincu d'être porteur d'une sorte
de message sacré. Sa retraite en Hollande, quasi
continue à partir de 1629, ne s'explique nulle-

ment par le souci, qu'on lui a parfois prêté,
de vivre en pays protestant pour éviter les
persécutions : ses thèses métaphysiques, il les
croyait aptes à être approuvées par l'Eglise
romaine. D'autre part, en 1633, il renonce à
faire paraître son *Traité du Monde,* où il admet-
tait l'héliocentrisme, soutenu depuis près d'un
siècle par tous les continuateurs de Copernic,
et il y renonce parce qu'il vient d'apprendre la
condamnation de Galilée pour ce même motif.
Si donc il s'était fixé en Hollande pour pouvoir
s'exprimer librement, à l'abri des dangers que
faisait courir à tout penseur indépendant
l'Eglise de la Contre-Réforme, il aurait précisément mis à profit cette protection pour
publier son livre. Inversement, le *Traité du
Monde* restant secret, son auteur n'eût pas
couru plus de risques à Paris qu'à Amsterdam.
Ainsi donc, il redoute moins les conséquences
pratiques d'une condamnation éventuelle que
cette condamnation même. Les raisons de son
exil ne sont pas à chercher dans cette préoccupation de sécurité personnelle. Leibniz a
dit une fois en plaisantant : « Descartes a quitté
Paris pour n'y plus rencontrer Roberval. »
Roberval n'était que l'un des représentants les
plus combatifs de la nouvelle école en physique, comme Pascal, expérimentateur prudent,
se défiant des principes. Cet état d'esprit qui
régnait alors dans le milieu scientifique pari-
sien exposait Descartes à essuyer toutes sortes
d'objections qui étaient comme autant d'entra-
ves à son grand dessein et, en tout cas, l'exas-
péraient. « Je me moque du sieur Petit et de

ses paroles... » « Je n'ai aucune envie de voir
les démonstrations du sieur Roberval... », ces
formules reviennent sans arrêt sous sa plume
lorsqu'il écrit au P. Mersenne, ce savant qui fut
son principal confident intellectuel, et son principal informateur sur ce qui se passait dans
les sciences en Europe. Informateur souvent
rabroué, car Descartes était, somme toute, peu
avide d'informations, surtout quand elles
étaient susceptibles d'infléchir ou d'obstruer
l'arrangement de ses pensées. Là réside proba-
blement la cause principale de sa retraite, de
sa recherche obstinée de la solitude : l'horreur
d'être contredit, l'horreur même des contacts et
la conviction que s'y opposer ne pourrait rien
lui apporter. Un médecin hollandais nommé
Plempius raconte les visites qu'il lui rendit
dans l'un de ses nombreux logements succes-
sifs, une maison d'Amsterdam, à peu près à
l'époque où il composait son *Traité du Monde* :
« Je l'y ai vu bien souvent et j'ai toujours trouvé
un homme qui ne lisait pas de livres et n'en
possédait point, voué à ses méditations soli-
taires et les confiant au papier. » En ces années
décisives où naît la science moderne, une telle
incuriosité surprend. Depuis qu'en 1619 il a
entrevu « les fondements d'une science admirable », Descartes se conduit comme un homme
qui estime n'avoir rien à attendre que de son
propre esprit et prend soin de mettre cet esprit
hors de portée de tout ce qui pourrait en assour-
dir la voix.

La fonction et le domaine propres de la philosophie, pour Descartes, sont donc clairs : elle
englobe la totalité des sciences — y compris la
science de l'homme, la physiologie comme la
psychologie[1]. Mais reste à voir par quels
moyens elle y parvient.

En quoi consiste la méthode cartésienne ?
On a souvent soutenu que l'apport principal
du philosophe était là. Etant admis que son
programme reste conforme à l'ancien modèle,
la méthode propose-t-elle une façon inédite de
le réaliser ? Dans le cartésianisme, les connaissances découlent toutes des causes premières
ou principes, c'est-à-dire de la métaphysique.
« L'ordre que j'ai tenu en ceci a été tel, dit-il
dans la sixième partie du *Discours de la
Méthode*. Premièrement j'ai tâché de trouver
en général les principes ou premières causes
de tout ce qui est ou qui peut être dans le
monde, sans rien considérer pour cet effet que
Dieu seul qui l'a créé, ni les tirer d'ailleurs que
de certaines semences de vérité qui sont naturellement en nos âmes. Après cela, j'ai examiné
quels étaient les premiers et les plus ordinaires
effets qu'on pouvait déduire de ces causes ; et
il me semble que par là j'ai trouvé des cieux,
des astres, une terre, et même sur la terre de
l'eau, de l'air, du feu, des minéraux et quelques
autres telles choses qui sont les plus communes

---

1. Le traité *De l'Homme*, posthume, a été publié en
1664 ; la psychologie, *Les Passions de l'Ame*, en 1649.

de toutes et les plus simples, et par conséquent
les plus aisées à connaître. » L'ordre de la
nature est donc connu dans ses principales
parties à partir de Dieu et des idées innées,
par le seul raisonnement. Cependant, lorsqu'on
aborde les ultimes particularités et tout le
grand détail de la nature, quelques expériences
deviennent nécessaires, admet Descartes en pré-
cisant aussitôt que ces expériences addition-
nelles n'ont fait que confirmer la justesse de ses
thèses générales. « Ces principes sont si simples
et si généraux, que je ne remarque quasi plus
aucun effet particulier que d'abord je ne
connaisse qu'il peut en être déduit en plusieurs
façons, et que ma plus grande difficulté est
d'ordinaire de trouver en laquelle de ces façons
il en dépend. » Bien qu'il parle parfois de
remonter des effets aux causes et non plus de
descendre des causes aux effets, Descartes
n'assigne à l'expérimentation aucun autre rôle
que la vérification, ou plutôt la confirmation de
théories *a priori*. Chaque fois que le résultat
d'une expérience, généralement effectuée par
autrui contrarie ses propres principes généraux,
par exemple au sujet de la mécanique, de
l'aimant ou des causes de la circulation du
sang, Descartes réinterprète le compte rendu
des faits pour le plier à ses vues. Si ses principes étaient infirmés, en effet, ce serait sa philosophie tout entière, et sa base métaphysique
notamment, qui serait à biffer. Il en a conscience : « Bien que ceux qui ne regardent que
l'écorce, écrit-il à Mersenne en 1639, jugent que
j'ai écrit le même qu'Herveus (Harvey), à cause

de la circulation du sang qui leur donne seule dans la vue, j'explique toutefois tout ce qui appartient au mouvement du cœur d'une façon entièrement contraire à la sienne... Cependant, je veux bien qu'on pense que, si ce que j'ai écrit de cela, ou des réfractions, ou de quelque autre matière que j'aie traitée en plus de trois lignes dans ce que j'ai fait imprimer, se trouve faux, tout le reste de ma philosophie ne vaut rien. »

Or cette interdépendance étroite de la métaphysique et de la physique ou de la physiologie n'est pas le fait d'une philosophie qui correspondrait au nouveau type de savoir, mais plutôt d'une philosophie édifiée sur le modèle ancien. Le cartésianisme contredit la scolastique, sans doute, mais il la contredit comme l'aristotélisme contredit le platonisme, c'est-à-dire comme une philosophie s'oppose à une philosophie de même nature qu'elle, mettant en œuvre les mêmes habitudes de pensée, la révolution portant non pas sur la manière de penser mais sur la matière, le contenu du système. Descartes ne perçoit pas le décrochage qui s'est produit dans la succession des idées, de son temps, sous ses yeux, le changement vertical et non pas seulement horizontal, cette « refonte des cerveaux des hommes » dont parle Galilée dans son *Dialogue* de 1632.

Descartes, à l'instar de tant de philosophes, croit être le premier véritable philosophe. Mais ce qui est étonnant dans cette conviction, ce

n'est pas l'appel à la notion tout à fait légitime
de révolution intellectuelle. C'est que Descartes
puisse attendre cette révolution de ses seules
qualités individuelles, qualités dont aucun de
ses prédécesseurs, par une suite prodigieuse
d'accidents malheureux, n'aurait été pourvu. Il
est certain que l'histoire des idées est semée de
discontinuités et de ruptures. Précisément l'une
de ces discontinuités, la plus importante peut-
être depuis Thalès, venait de se produire, se pro-
duisait dans l'Europe du XVIIe et ce contexte
place encore plus à contre-courant la conception toute traditionnelle et stéréotypée que Descartes se fait de la révolution philosophique.
Car il escompte accomplir cette révolution en
appliquant exactement les mêmes méthodes que
celles de l'ancienne philosophie, la seule différence étant, dit-il, qu'il les applique mieux et
plus complètement. Les philosophes antérieurs
à lui ont tous « supposé pour principe quelque
chose qu'ils n'ont point parfaitement connue...
Or, toutes les conclusions que l'on déduit d'un
principe qui n'est point évident ne peuvent
aussi être évidentes, encore qu'elles en seraient
déduites évidemment ; d'où il suit que tous les
raisonnements qu'ils ont appuyés sur de tels
principes n'ont pu leur donner la connaissance
certaine d'aucune chose, ni par conséquent les
faire avancer d'un pas en la recherche de la
sagesse[1] ». Il n'y a eu pendant deux mille ans,
selon lui, que de faux départs, mais c'est bien

---

1. *Principes*, préface.

la même vieille course qu'il se propose de courir, sans changement de parcours.

∗∗

La méthode cartésienne, en effet, se résume en deux articles essentiels : le premier, et le plus important, qu'il faut trouver un point de départ ferme, indestructible, à l'élaboration de la « science » (physique et métaphysique soudées) ; pour cela, je ne dois juger vrai que ce qu'il m'est possible de saisir, par le regard de l'esprit, d'un seul tenant et en une seule opération. Cette règle est celle que l'on appelle de l'évidence, et l'opération intellectuelle qu'elle met en jeu est l'intuition — celle de l'entendement, car il s'agit ici de ce que l'on peut « voir » de part en part avec l'entendement, et seulement avec lui. La seconde règle consiste, en partant de ces vérités simples, pouvant être saisies par une seule « inspection de l'esprit », à en faire découler par la déduction tout ce qui peut en toute rigueur s'en extraire. Chaque stade de la déduction est lui-même l'objet d'opérations de contrôle relevant de la règle de l'évidence. Toute la méthode se ramène à ces deux opérations : l'intuition et la déduction, et les critères de la certitude sont de deux sortes : l'évidence et la rigueur déductive, — ce second critère n'ayant d'ailleurs de fondement que dans le premier, de sorte que tout se ramène à l'évidence.

Les autres règles de la méthode, telles qu'elles
sont exposées soit dans les *Règles pour la Direction de l'Esprit* [1] soit dans la deuxième partie
du *Discours de la Méthode,* sont des conseils
psychologiques ou mnémotechniques plutôt que
des règles logiques. Eviter « la précipitation et
la prévention » ou encore « faire des dénombrements si entiers et des revues si générales que
je fusse assuré de ne rien omettre », ce sont là
des préceptes fort sages, mais dont on ne peut
pas dire que l'originalité et la nouveauté soient
éclatantes. De même, la troisième des *Règles
pour la Direction de l'Esprit :* « Sur les objets
proposés à notre étude il faut chercher non ce
que d'autres ont pensé ou ce que nous-mêmes
nous conjecturons, mais ce dont nous pouvons
avoir l'intuition claire et évidente ou ce que
nous pouvons déduire avec certitude : car ce
n'est pas autrement que la science s'acquiert »,
cette règle, qui contient en somme la totalité de
la méthode cartésienne, incite à des précautions fort louables — ne pas se contenter des
opinions recueillies par ouï-dire, ne pas juger
sur de simples vraisemblances mais uniquement d'après des constatations indubitables ou
au terme de raisonnements méticuleux. Voilà
qui est fort bon, mais ne tranche guère sur le
vieux fond du manuel pratique pour débutant
en philosophie commun à toutes les écoles
grecques. Sur le plan logique, c'est très élé-

---

1. Ouvrage publié longtemps après la mort de Descartes,
en 1701, mais rédigé antérieurement au *Discours de la
Méthode,* sans doute vers 1627-1628.

mentaire par rapport à tout ce que Platon ou
les Sceptiques ont dit de la façon dont se forment les convictions et des conditions de la
certitude ; sur le plan psychologique, cela
demeure rapide par rapport à tout ce que
Montaigne a pu écrire sur les pièges de la prévention ou le poids de la tradition. La légende
popularisée de la méthode cartésienne, censée
apporter brusquement une lumineuse précision
dans la pensée occidentale, tient pour une large
part à des formules qui ont fait florès telles que
le « bon sens » ou encore les « idées claires et
distinctes ». Or le « bon sens » cartésien n'est
pas en soi un principe ou une méthode, c'est
simplement « la raison, qui est naturellement
égale en tous les hommes », ce qui ne signifie
pas, bien entendu, que les individus soient tous
également doués, mais que la nature humaine
compte la raison parmi ses facultés innées. Et
la « clarté » et la « distinction » ne sont rien
d'autre qu'une des formulations de la règle de
l'évidence, telle qu'elle se trouve dans la première des quatre règles du *Discours* : « de ne
comprendre rien de plus en mes jugements que
ce qui se présenterait si clairement et si distinctement à mon esprit que je n'eusse aucune occasion de le mettre en doute ». (Deuxième partie.)
En définitive, la méthode cartésienne, mélange
de propédeutique personnelle et de règles logiques élémentaires se ramène aux points suivants : 1° je dois me défaire des opinions toutes
faites et ne rien croire sans preuve dûment
perçue par moi-même ; 2° règle de l'évidence, à
laquelle correspond l'intuition ; 3° déduction,

comme complément de l'intuition, au sens éty-
mologique de vision directe, constatation, et
non de divination ; 4° suivent un certain nombre de conseils pratiques, tels que la règle dite
de la division ou analyse (« diviser chacune des
difficultés que j'examinerais en autant de parcelles qu'il se pourrait et qu'il serait requis pour
les mieux résoudre ») ou celui de « conduire
par ordre » ses pensées, ou celui de la remé-
moration (les « dénombrements » et les
« revues » de contrôle).

Le premier point concerne le doute « cartésien », le « doute méthodique » (encore que
cette expression ne se rencontre nulle part
telle quelle chez Descartes). Mais, là encore, on
peut dire qu'il s'agit d'un lieu commun de
toutes les philosophies. L'élimination des préjugés et des pseudo-certitudes, hérités de l'éducation courante ou des autres écoles philosophiques, n'a rien de spécifiquement cartésien.
Dans les premiers dialogues de Platon, les
écrits épicuriens, et, bien entendu, les écrits
sceptiques, le doute est roi à un degré
infiniment moins précautionneux, et surtout
appliqué avec plus d'énergie que chez Descartes.
Quant à l'évolution de la culture moderne, on
sait de reste que la polémique dirigée contre
le Moyen Age et la scolastique n'a pas commencé avec le *Discours*. S'en prendre, en termes
au demeurant très généraux, à l'aristotélisme
n'avait, au milieu du XVII⁰ siècle, plus rien de
subversif. En fait, il y a non pas un mais deux

doutes cartésiens : le second, et le plus important à l'intérieur du système, est un doute
métaphysique, le doute « hyperbolique » des
Méditations, il porte sur la formation même
des représentations et des idées et la valeur de
la connaissance ; le premier, dont il est surtout question dans l'autobiographie intellectuelle qu'est le *Discours*, porte principalement
sur l'acquis culturel et l'autorité des maîtres.
Ni l'un ni l'autre, il faut le répéter, ne sont particulièrement originaux. Ce sont des étapes
classiques dans toute philosophie. Mais le plus
compromettant des deux, celui qui pourrait
constituer une critique de la culture transmise,
historiquement située, est d'une rare timidité,
comparé à tout ce que l'on avait pris l'habitude
de lire depuis le xve siècle. (Je dis le plus
compromettant des deux, car il est plus risqué
de mettre en doute la religion établie que l'existence du monde extérieur, et l'autorité de l'Etat
que le témoignage des sens.) Au moment même
où il annonce qu'il va douter de tout, Descartes
s'empresse de prévenir les conséquences possibles de ce doute en déclarant que, de toute
manière, il conservera « la religion en laquelle
Dieu lui a fait la grâce d'être instruit dès son
enfance ». On peut se demander quelle est la
portée d'un doute radical qui s'interdit préven-
tivement de remettre en cause la religion transmise par la coutume. Aussi bien, dans le
domaine politique, Descartes est singulièrement
en retrait par rapport aux écrivains du xvie.
Montaigne parlait « de ne changer *aisément* une
loi reçue », Descartes, lui, parle de ne la changer

plus du tout, et même de s'abstenir soigneusement de toute pensée politique : « C'est
pourquoi je ne saurais aucunement approuver
ces humeurs brouillonnes et inquiètes, qui,
n'étant appelées ni par leur naissance ni par
fortune au maniement des affaires publiques, ne
laissent pas d'y faire toujours, en idée, quelque
nouvelle réformation. Et si je pensais qu'il y eût
la moindre chose en cet écrit par laquelle on
me pût soupçonner de cette folie, je serais très
marri de souffrir qu'il fût publié. » Ce passage
implique renonciation à toute répercussion
pratique de la connaissance dans la société,
c'est-à-dire défait le lien que la Renaissance
avait établi entre la révolution philosophique
et la transformation de la civilisation, entre la
progression de la connaissance et la libération
de l'homme, ou du moins l'accroissement de
son autonomie. Descartes est le premier en date
des grands philosophes de type traditionnel
dont le système ne comporte pas une Politique.
Même chez ses successeurs proches ou loin-
tains, cette abstention remarquable sera exceptionnelle. Cela rend très étonnante l'affirmation
de Sartre, selon qui Descartes aurait « dans
une époque autoritaire, jeté les bases de la
démocratie ». (*Situations*, I, p. 308.) La troisième partie du *Discours*, qui contient l'exposé
de la morale « provisoire » (en fait il n'y en
aura pas d'autre) est un manifeste de conformisme rassurant, et, intellectuellement, peu
exigeant. L'extrait de la seconde partie, cité
ci-dessus, est d'ailleurs suivi d'un raisonnement curieux. « Le monde », nous dit Descartes,

n'est « quasiment composé que de deux sortes
d'esprits ». Les uns, trop confiants en eux-
mêmes, en réalité faibles, doivent s'abstenir de
pratiquer le doute philosophique parce qu'ils
seraient ensuite incapables de s'y arracher, ils
douteraient toute leur vie ; les seconds, raisonnables, mais peu vigoureux, doivent prendre
conscience qu'ils sont « moins capables de distinguer le vrai d'avec le faux que quelques
autres » et feront donc mieux de renoncer
modestement à juger par eux-mêmes et de
« suivre les opinions de ces autres ». En somme,
la thérapeutique du doute s'achève assez rapi-
dement par un conseil de soumission intellectuelle et de retour à l'argument d'autorité.
Entre ceux qui ne doivent jamais commencer à
réfléchir et ceux qui doivent recevoir d'autrui
des opinions toutes formées, quels sont ces
« quelques autres » seuls admis à penser ?
L'auteur ne le dit pas.

Le deuxième et le troisième point de la
méthode, ainsi que le quatrième, reposent sur
le critère de l'évidence, ils en aménagent l'uti-
lisation ou la façon d'en récapituler les acquis.
Intuition et déduction constituent ainsi le tout
de la pensée. Mais la déduction se ramène à
l'intuition, puisque le seul critère se suffisant à
lui-même est l'évidence, et que, Descartes le
souligne à maintes reprises, la certitude de la
déduction doit se ramener à l'évidence où elle
prend sa source ou au groupe d'évidences dont
elle constitue l'enchaînement. Il faut d'abord
disposer d'une évidence, ensuite mettre de

l' « ordre » dans les « raisons », c'est-à-dire ne
rien conclure ni affirmer que ce qui est clairement contenu dans les propositions déjà prouvées. En somme, il faut disposer ne serait-ce
que d'une vérité, dont l'évidence intuitivement
saisie soit assez forte pour dispenser de toute
preuve externe, puis procéder à des enchaîne-
ments ordonnés sur la base de ce point de
départ [1].

Conseils fort sensés, mais qui ne peuvent
manquer de susciter une objection, à savoir que
l'évidence peut être subjective tout en ayant
les apparences de l'objectivité. Les prédécesseurs de Descartes eux aussi tenaient leurs
principes pour évidents, et le lecteur de Descartes trouve fréquemment absurdes bon nom-

---

1. « Ces principes doivent avoir deux conditions : l'une,
qu'ils soient si clairs et si évidents que l'esprit humain ne
puisse douter de leur vérité, lorsqu'il s'applique avec attention à les considérer ; l'autre, que ce soit d'eux que dépende
la connaissance des autres choses, en sorte qu'ils puissent
être connus sans elles, mais non pas réciproquement elles
sans eux ; et qu'après cela il faut tâcher de déduire tellement
de ces principes la connaissance des choses qui en dépendent,
qu'il n'y ait rien en toute la suite des déductions qu'on en
fait qui ne soit très manifeste. » Tous les prédécesseurs de
Descartes ont erré pour avoir pris des points de départ non
évidents. Rappelons le texte : « Toutes les conclusions que
l'on déduit d'un principe qui n'est point évident ne peuvent
aussi être évidentes, encore qu'elles en seraient déduites évidemment ; d'où il suit que tous les raisonnements qu'ils ont
appuyés sur de tels principes n'ont pu leur donner la connaissance certaine d'aucune chose, ni par conséquent les faire
avancer d'un pas en la recherche de la sagesse. » *(Principes,*
préface.)

bre des « évidences » cartésiennes, tant en physique qu'en métaphysique. Décider « de ne recevoir aucune chose pour vraie que je ne la connusse *évidemment* être telle [1] » n'est pas une méthode, c'est-à-dire un procédé logique pour la conduite de la pensée, c'est, tout au plus, l'énoncé d'un but. Ce qui est évident peut n'être pas vrai, ou encore — et nous voilà revenus au problème qui donne précisément sa raison d'être à la logique : ce qui paraît peut ne pas l'être. Toute la question est de déterminer les conditions du lien entre l'évidence et la vérité.

∴

La méthode cartésienné se réduit donc à peu de chose. Dans sa partie négative — rejet de l'autorité incontrôlée des doctrines officielles, critique de la scolastique, Descartes est le contraire d'un précurseur, disons même qu'il retarde quelque peu. Dans sa partie positive, il se borne à quelques préceptes très généraux et d'une grande banalité, qui formulent la difficulté plutôt qu'ils ne la résolvent, d'autant que chacun peut croire en toute bonne foi les appliquer rigoureusement, tout en les violant d'une façon qui paraît flagrante aux yeux d'un témoin extérieur.

Toutefois, la méthode cartésienne s'éclaire dès qu'on tient compte du modèle qu'il avait

---

1. C'est moi qui souligne.

présent à l'esprit en l'énonçant : le modèle mathématique. Le critère de vérité : l'évidence. Les actes intellectuels : intuition et déduction. Les propriétés des notions : clarté et distinction (c'est-à-dire séparation) de « natures simples ». Le résultat : la certitude acquise par une démonstration sur laquelle on n'a plus à revenir ; tout cela est moulé sur la pensée mathématique. Mais, là encore, Descartes se trompe à un double titre. Il se trompe d'abord en croyant innover : ce n'était pas la première fois que l'on tentait de prendre la certitude mathématique pour modèle de la certitude en général. Platon l'avait fait. Et sa tentative avait montré l'impossibilité de prolonger le raisonnement mathématique dans le raisonnement conceptuel. Le raisonnement mathématique met en rapport des quantités clairement définies et met en jeu des opérations impliquant des mécanismes de vérification sans équivoque, c'est-à-dire ne reposant pas sur le sens plus ou moins précis, jamais quantifiable en tout cas, des mots et des connexions syntaxiques. Le raisonnement par concepts met en rapport des notions souvent mal élucidées, dépendant largement du langage courant ou de la terminologie des écoles philosophiques, et exécute des opérations qui sont fréquemment de pseudo-vérifications. Par la formalisation, on se proposera de réduire cet écart, dans la logique du XXᵉ siècle, qu'Aristote a préparée du reste beaucoup plus que Descartes ne l'a fait. L'apport de Descartes dans l'histoire de la logique est quasiment nul, notamment si on le compare (pour

demeurer dans les limites de son « moment »
culturel) à l'apport de Leibniz.

La seconde erreur de Descartes est de n'avoir
pas compris que les mathématiques avaient
bien acquis à son époque un rôle central dans
la connaissance, en effet, mais pas comme il le
croyait. Toute la nouveauté de la logique baco-
nienne et de la science galiléenne et newtonienne consistait en deux idées : d'une part,
qu'aucune loi de la nature ne peut être considérée comme connue ni établie si elle n'est pas
formulée en langage mathématique [1] ; d'autre
part que les mathématiques ne sont pas un
instrument de *découverte* des lois de la nature,
que cet instrument ne peut être que le raisonnement expérimental, partant des faits et
remontant aux principes explicatifs, c'est-à-dire
utilisant l'induction et non, comme les mathématiques, la déduction. L'événement méthodologique du XVIIᵉ est cette opposition de l'induction à la déduction. « Il n'y a et ne peut y avoir
que deux voies ou méthodes pour découvrir la
vérité. L'une partant des sensations et des faits
particuliers s'élance du premier saut jusqu'aux
principes les plus généraux ; puis se reposant
sur ces principes comme autant de vérités iné-
branlables, elle en déduit les axiomes moyens
ou les y rapporte pour les juger ; c'est celle-ci
qu'on suit ordinairement. L'autre part aussi des

---

1. « La nature est écrite en langage mathématique », dit
Galilée dans le *Saggiatore* (1623).

sensations et des faits particuliers, mais s'éle-
vant avec lenteur par une démarche graduelle et
sans franchir aucun degré, elle n'arrive que bien
plus tard aux propositions les plus générales ;
cette dernière méthode est la véritable mais
personne ne l'a encore tentée [1]. »

Ainsi donc Descartes n'a pas compris que se
proposer pour modèle la certitude des mathématiques devait consister non pas à étendre à
tous les domaines de l'expérience — et même
hors de l'expérience, à la métaphysique — les
procédés du raisonnement mathématique, ce
qui constituait la simple résurgence d'un
archaïsme philosophique, mais bien à remonter
de l'expérience aux lois mathématisables, par
un raisonnement *a posteriori* et non plus *a
priori*. Ce qui fut la seule authentique révolution méthodologique des temps modernes, il
n'en a pas pris conscience.

**

La méthode cartésienne ne s'explique pas
seulement par rapport à son modèle mathématique, elle s'explique surtout par rapport à son
modèle métaphysique : à la métaphysique

---

1. F. Bacon, *Novum Organum*, 1. I, aph., 19, trad. Buchon.
Cette induction « fait un choix parmi les observations et
les expériences, dégageant de la masse, par des exclusions
et des rejections convenables, les faits non concluants ; puis,
après avoir établi un nombre suffisant de propositions, elle
s'arrête enfin aux affirmations et s'en tient à ces dernières » (*id.*).

qu'elle est destinée à permettre, et qui, à son tour, en établit les fondements. Dire que quelque chose est vrai parce que cela me paraît clair n'est pas une affirmation digne d'un grand intérêt pour autant qu'il s'agisse d'épistémologie rigoureuse. C'était revenir à ce type de « preuve » reposant complètement sur l'auto-conviction du penseur. Aussi faut-il juger la méthode à ses fruits et inventorier ce qu'établit la philosophie cartésienne. Nous en connaissons le programme et la façon dont les parties qui la composent s'articulent les unes aux autres : il nous reste à en examiner le contenu, d'abord la métaphysique, puis quelques points saillants de la physique et de la physiologie, enfin la psychologie.

La chose essentielle à comprendre, dans le cartésianisme, est que la totalité du système repose sur la métaphysique et plus précisément sur la démonstration de l'existence de Dieu. Dans le *Discours de la Méthode*, Descartes se félicitait d'avoir fait « voir quelles étaient les lois de la nature ; et, sans appuyer [ses] raisons sur aucun autre principe que sur les perfections infinies de Dieu », il avait démontré « toutes celles dont on eût pu avoir quelque doute ». C'est quatre ans plus tard, dans les *Méditations*, publiées en 1641, que l'infrastructure métaphysique du cartésianisme, à laquelle il n'était fait que des allusions dans le *Discours*, se trouve être pleinement développée. Le titre intégral du principal ouvrage de Descartes annonce bien l'intention théologique de l'auteur : *Méditations sur la philosophie première, dans laquelle est démontrée l'existence de Dieu et l'immortalité de l'âme.* Titre rectifié l'année suivante comme suit : *Méditations sur la philosophie première, dans lesquelles sont démontrées l'existence de Dieu et la distinction de l'âme et du corps.* En quoi la démonstration de l'existence de Dieu est-elle la clef de voûte du système cartésien ? Et non seulement son existence, mais sa bonté et surtout sa véracité ? C'est que Descartes prend conscience de l'insuffisance du critère de l'évidence. Pour être certain qu'une idée est vraie pourvu que je la conçoive clairement et distinctement, il me faut un Dieu qui me garantisse que je ne puis me tromper lorsque j'use correctement de ma raison entre les limites où elle est compétente. Cette invention du recours à la véracité divine, garante de l'exactitude des intuitions et des déductions effectuées selon les règles de la Méthode, constitue l'hypothèse fondamentale des *Méditations*. En effet, « la certitude même des démonstrations géométriques dépend de la connaissance d'un Dieu », écrit Descartes dans l'*Abrégé* des six *Méditations* placé en tête du livre. Le cheminement par lequel Descartes parvient à cette démonstration consiste en un petit nombre d'étapes précises, parcourues selon « l'ordre des raisons » avec autant de rigueur et de fermeté apparentes que de frivolité et de confusion latentes ou même manifestes. Le contraste entre la prodigieuse force logique de l'enchaînement des idées et le caractère aberrant, inutile, du résultat d'ensemble

fournit un exemple précis des risques courus
par la pensée déductive lorsqu'elle se déploie
librement à partir d'elle-même et sans autre
juge qu'elle-même, hors des limites de l'expérience, pour reprendre l'expression introduite
par Kant un siècle et demi plus tard.

L'ordre des raisons est le suivant : comme
cela est connu, Descartes part de l'application
systématique du doute. Il doute, naturellement,
du témoignage des sens, puis de la pensée elle-
même et des vérités mathématiques elles-
mêmes. Rien n'empêche d'imaginer, en effet, à
titre d'hypothèse, que notre entendement pourrait être ainsi constitué que même les démonstrations géométriques fussent fausses tout en
se présentant à lui comme vraies. Cette éventualité d'un appareil de connaissance humain
qui serait en quelque sorte constitutionnelle-
ment perverti, Descartes la formule en supposant l'existence d'un être surnaturel et foncière-
ment méchant — comme son nom l'indique
— : le « malin génie ». Celui-ci pourrait prendre
plaisir à tromper l'homme comme un profes-
seur vicieux qui enseignerait systématiquement
à ses élèves à faire des opérations fausses ayant
tout l'air d'être exactes. Le malin génie est plus
qu'une image. Cet être malfaisant et tout-puissant est justement l'envers de ce que sera Dieu,
également tout-puissant, mais bienfaisant, une
fois que le philosophe en aura démontré l'existence dans la *Méditation troisième*. La seconde
étape dans l'enchaînement des raisons est celle
par laquelle nous prenons conscience de ceci

que, même si toutes nos pensées se trouvent
être fausses, il existe au moins *une* vérité sur
laquelle le malin génie n'a pas prise : c'est que
j'existe. Fausse ou vraie, ma pensée est le témoignage de mon existence. Même en rêve, il faut
un sujet pensant pour concevoir des absurdités.
En tant que je pense, j'existe. C'est la vérité
fondamentale sur laquelle s'appuiera toute la
métaphysique et que Descartes compare au
levier d'Archimède. Cet argument, que l'on
appelle celui du « Cogito » cartésien, a pour
double fonction de fournir un modèle de vérité,
une évidence de base, et en même temps d'identifier à la pensée le mode d'existence ici défini
comme étant le propre de l'homme. En effet,
j'existe dans la mesure où je pense et aussi
longtemps que je pense. (Mais le fait d'être
n'est pas une conséquence du fait de penser,
c'est l'inverse.) La troisième étape est constituée
par l'analyse du fait même de penser. Ayant
affirmé que ni les sensations et perceptions, ni
l'imagination par laquelle nous formons des
images des choses en dehors de leur perception
actuelle, ni les affections et sentiments — car
l'affectivité dépend du corps, essentiellement
frappé par le doute —, ayant affirmé, donc,
qu'aucune de ces formes de représentation
n'implique existence, Descartes réserve l'exclu-
sivité de cette implication à la pensée abstraite.
C'est à cause de cette affirmation que le cartésianisme a pris figure, dans l'histoire, de rationalisme outrancier, ramenant l'homme à l'intelligence pure, ce qui est inexact, comme suffit à
le montrer la lecture de la sixième *Méditation*

et du *Traité des Passions*. Descartes fait en réalité place à une vie affective spécifique puisqu'il admet l'union « substantielle » de l'âme et du corps, quoique selon lui l'âme seule, envisagée en tant que distincte du corps, soit en effet essentiellement et tout entière constituée par de la pensée.

C'est ce que Descartes se propose de montrer dans la *Méditation* seconde avec plus d'ampleur, méditation dont le titre indique à la fois la séparation théorique des deux substances et le privilège de la substance spirituelle : *De la nature de l'esprit humain et qu'il est plus aisé à connaître que le corps.* Pourquoi plus aisé à connaître ? C'est que l'esprit, le cogito, c'est la faculté en nous qui fait des mathématiques, de la métaphysique, de la physique *a priori*, et elle est en effet alors plus aisée à connaître que le corps dans la mesure où elle fonctionne selon ses propres lois sans avoir à recourir aux données empiriques externes dont l'inventaire est par définition interminable. Les corps extérieurs eux-mêmes, nous les connaissons beaucoup plus clairement et distinctement par la pensée que par les sens ou l'imagination. Ici intervient la célèbre analyse cartésienne du « morceau de cire » par laquelle Descartes montre que la seule propriété stable d'un morceau de cire est d'être de l'étendue géométrique. (Toutes les autres propriétés en effet sont sujettes à transformation : de solide le morceau de cire peut devenir liquide si on le chauffe, etc.) Mais l'analyse du morceau de cire est

destinée non pas à montrer que l'essence des
choses maétrielles est purement et simplement
l'étendue géométrique (ce sera l'objet de la
Méditation cinquième) mais à montrer que si
la connaissance intellectuelle de la cire est plus
claire et plus distincte que n'en est la connaissance sensorielle, à plus forte raison l'esprit lui-
même se connaîtra plus facilement qu'il ne peut
connaître la réalité extérieure. C'est ici que
Descartes fait intervenir, pour prouver l'existence de Dieu, un des raisonnements les
plus étranges qu'on puisse lire au XVIIᵉ siècle,
raisonnement qui paraît plutôt faire ressusciter
le Moyen Age qu'annoncer le « siècle des lumières ». Dans la *Méditation* troisième, *De Dieu,
qu'il existe,* Descartes procède comme suit. Il
part du principe qu'il ne peut pas y avoir plus
dans l'effet qu'il n'y a dans la cause. Principe
apparemment logique, mais trop général si l'on
ne précise pas ce que l'on entend précisément
par plus et par moins. Car dans la définition de
ce « plus » et de ce « moins » Descartes fait
entrer un jugement de valeur qualitatif lié à la
notion de plus ou moins grande *perfection.* Il
déclare, par exemple, que notre esprit peut parfaitement avoir conçu, sans qu'ils existent, des
animaux, des végétaux, des minéraux, parce
qu'ils sont tous moins *parfaits* que cet esprit
lui-même. On peut donc, selon lui, nier l'existence de ces réalités extérieures, même si nous
en avons la représentation en nous, parce que
l'esprit peut forger de toutes pièces tout ce qui
lui est inférieur. On voit à quoi tend cette argumentation : en la prolongeant, on rencontre

tout naturellement cette idée que si, inversement, je trouve dans mon esprit l'idée d'une réalité *plus parfaite* que lui, il ne pourra pas l'avoir créée lui-même, puisque cette idée contiendrait, à titre d'effet, plus de perfection que sa cause. Si donc mon esprit contient effectivement quelque idée d'un degré de « réalité » supérieur au sien, une telle idée ne pourra avoir été déposée en l'homme que par quelque chose d'extérieur à lui et non élaboré par sa propre activité.

Or une telle idée existe bel et bien dans l'esprit humain. Je découvre bel et bien dans ma pensée, poursuit Descartes, l'idée d'un être à la fois infini et parfait. Cette idée est celle de Dieu. Comme mon esprit est lui-même fini et imparfait, l'idée de Dieu ne peut donc avoir été mise en lui que par Dieu lui-même. C'est ce que l'on appelle la « preuve par l'idée de parfait ». Du même coup d'ailleurs, Descartes croit démontrer ainsi et l'existence de Dieu, et, naturellement, sa bonté, donc sa véracité. Il s'ensuit que Dieu ne peut pas nous tromper et par conséquent que je ne puis pas errer moi-même lorsque je conçois une idée clairement et distinctement. Telle est la révolution épistémologique apportée par Descartes.

Tout ce raisonnement repose sur une succession de fautes de logique et de préjugés non critiqués. Les erreurs logiques sont les suivantes : d'abord la transposition du principe selon lequel la cause ne peut pas produire un effet *plus grand* qu'elle à l'intérieur d'un système de relations purement *qualitatives*. S'il est exact qu'un effet ne peut pas contenir plus que sa cause, encore faut-il préciser l'angle sous lequel on se place. Faute d'une telle précision, on pourrait dire par exemple qu'un animal adulte est un effet qui contient plus que le spermatozoïde d'où il provient, parce qu'il est plus grand et pèse plus lourd que le spermatozoïde en question. Ce sont là des concepts grossiers dont l'usage n'offre absolument aucun intérêt tant qu'une formulation rigoureuse n'a pas déterminé exactement la relation et les termes que l'on entend mettre en rapport. Or non seulement Descartes ne le fait pas, oubliant qu'il ne suffit pas de parler de « plus » et de « moins » pour énoncer une idée claire et distincte (car de quoi s'agit-il ? de plus d'énergie, de grandeur, de beauté, de teneur en sodium ou de capacité respiratoire ?), mais il effectue un passage du quantitatif au qualitatif en substituant la notion de perfection, nous l'avons vu, à celle de maximum et de minimum. La seconde erreur logique consiste ensuite à supposer admis un système de valeurs dans lequel les pierres seraient moins parfaites que les mammifères, ceux-ci que l'homme, puis à concevoir une hiérarchie des diverses sortes d'êtres répartis le long d'une échelle selon leur plus ou moins grande dignité. A quel titre, en effet, un homme peut-il être considéré comme plus « parfait » qu'une pierre ou un insecte, à quel point de

vue ? L'affirmer relève d'un anthropocentrisme
béat, très en retrait par rapport au décentre-
ment de l'homme opéré par Montaigne, anthropocentrisme qui repose en outre sur l'hypothèse
qu'il s'agissait justement de démontrer, à savoir
l'existence de Dieu, puisque c'est seulement
comme créature plus proche de Dieu que les
autres qu'un homme peut se croire plus parfait qu'un caillou. A ce raisonnement hiérar-
chique s'ajoute l'idée non moins étrange que
les objets matériels peuvent dépendre de la
nature humaine, au contraire de Dieu qui ne
peut dépendre d'elle. « Pour ce qui est des
pensées que j'avais de plusieurs choses hors
de moi, comme du ciel, de la terre, de la chaleur... je n'étais point tant en peine de savoir
d'où elles venaient, à cause que, ne remarquant
rien en elles qui semblât les rendre supérieures
à moi, je pouvais croire que, si elles étaient
vraies, c'étaient des dépendances de ma
nature... » (*Discours de la Méthode*, quatrième
partie.)

Après cette cascade de paralogismes, il faut
revenir maintenant à l'idée même de Dieu qui
en est le support. Elle est chez Descartes le
type même du concept non soumis à l'analyse
critique et philosophique. Considérer comme
acquis, en effet, que la conception monothéiste
de Dieu, telle que Descartes la recevait d'une
part de la religion de ses pères, d'autre part
d'une très vieille culture théologique, est une
idée innée et non pas héritée de la tradition,

c'est faire preuve de crédulité philosophique. Cette « substance infinie, éternelle, immuable, indépendante, toute-connaissante, toute-puissante », il fallait avoir beaucoup de « précipitation et de prévention » pour s'imaginer qu'elle fût un concept ne devant rien à la société ni à l'histoire. Là encore on doit noter à quel point Montaigne est plus sensible à la variété des croyances, plus éloigné de l'a-priorisme brutal, qui conduit Descartes à écrire que l'idée de Dieu, souverainement parfait « est née et produite avec moi dès lors que j'ai été créé ». Autre préjugé, celui qui consiste à croire qu'un être faible ne peut pas forger en imagination un être tout-puissant. Cette proposition indémontrée repose sur une ignorance de la psychologie dont on ne songerait certes guère à s'étonner si un Epicure ou un Xénophane de Colophon n'avaient bien auparavant fait preuve de plus de subtilité, dans ce domaine de la psychogenèse des croyances religieuses.

Il ne s'agit pas, pour nous, de prendre position sur le terrain proprement religieux. Descartes d'ailleurs ne s'y place pas. C'est ce qui fait de son œuvre une œuvre philosophique, puisque à la différence des théologiens du Moyen Age, il ne fait pas appel à la Foi. C'est par la voie de la rationalité pure qu'il prétend arriver à établir l'existence de Dieu, et ce n'est, assure-t-il, que par une heureuse coïncidence que son Dieu ressemble si fort à celui des théologiens catholiques. Le plus important pour nous n'est pas là, mais dans la gratuité des prétendues évidences claires et distinctes sur lesquelles s'appuie Descartes, et dans l'incertitude des opérations logiques par lesquelles il les enchaîne. Quand on songe que c'est sur la preuve « par l'idée de parfait » que repose tout son système, on ne peut manquer d'en signaler la fragilité. Peu importe dès lors que certains commentateurs aient remarqué telle contradiction qui existe chez Descartes : c'est en nous appuyant sur le critère de l'évidence et des idées claires et distinctes que nous passons du cogito à la démonstration de l'existence de Dieu, pour ensuite nous appuyer sur la véracité divine afin d'y trouver la garantie de la vérité des idées claires et distinctes. Cette difficulté est ce que l'on nomme classiquement « le cercle cartésien ». Bien sûr les gloses n'ont pas manqué pour tenter de montrer que Descartes ne l'a pas commis. Au demeurant, je crois qu'on a raison, quand on étudie les textes de près, de le blanchir de cette accusation. Mais la véritable faute logique est moins dans ce cercle que dans la totalité du raisonnement central des *Méditations*.

Il existe une autre preuve de l'existence de Dieu chez Descartes, plus célèbre, encore que moins importante pour l'économie du système, outre la preuve par l'idée de parfait, c'est l'argument dit ontologique. Il consiste à raisonner comme suit : Dieu est un être souverainement parfait, or l'inexistence est une imperfection,

dès lors on ne saurait concevoir un être
parfait auquel manquerait l'existence, donc un
être parfait existe nécessairement, sans quoi il
ne serait pas parfait. L'argument ontologique
est ainsi appelé parce que Dieu y est conçu
comme le seul être ayant l'existence inscrite
dans la notion même de son « être ». Kant
montrera l'inanité de ce raisonnement en disant
que *l'existence n'est pas un attribut* ou prédicat.
Ce qui signifie simplement, pour reprendre la
comparaison même de Kant, qu'il n'y a aucune
différence entre la *notion* de dix thalers (pièces
de monnaie prussiennes) purement imaginaires
et de dix thalers réels. L'existence, qui fait la
différence entre l'imaginaire et le réel, n'est pas
une détermination supplémentaire, qui viendrait compléter sur le plan purement logique la
notion de cette unité monétaire. Les prédicats
du thaler sont le diamètre, la couleur, le poids,
etc., et l'existence n'est pas un prédicat parmi
les autres qui viendrait s'insérer entre la couleur et le poids ; elle est ce qui fait que l'ensemble de la notion correspond à une réalité ou pas.
Les logiciens du Cercle de Vienne [1] ont montré
que de nombreux paralogismes sont dus à ce
que quelques philosophes prennent facilement
certaines particularités syntaxiques pour des
structures logiques. Ainsi la possibilité, héritée
du grec, de substantiver les infinitifs et d'écrire
par exemple « l'Etre est » procure l'illusion

---

1. On désigne ainsi l'école qui se forma en 1929 autour
de Shlick, qui occupait alors à Vienne la chaire de philosophie des sciences.

d'ajouter une détermination au concept d'être.
En fait « l'Etre est », ramené à son contenu
logique, est identique à l'énoncé « il y a ». Répéter indéfiniment avec Parménide ou Heidegger
« l'Etre est » revient à dire sans se lasser, « il y
a, il y a, il y a ». C'est une proposition sans sujet
dans laquelle rien n'est affirmé à propos de quoi
que ce soit. Cependant le paralogisme cartésien
dans l'argument ontologique pourrait être mis
à jour sans que le système fût ruiné, ce qui
n'est pas le cas pour la preuve par l'idée de
parfait.

Dans la succession des arguments qui constituent l'édifice des *Méditations*, l'argument ontologique ne pouvait pas être présenté le premier,
car il suppose acquise la validité du critère de
l'évidence. C'est-à-dire qu'il suppose démontrée la véracité divine, ce que la preuve précé-
dente avait pour fonction d'opérer. Une fois la
véracité divine acquise, toutes mes idées claires
et distinctes peuvent être tenues pour vraies, y
compris l'argument ontologique, lequel entre
dans cette catégorie ; cela montre assez ce que
Descartes entendait par idée claire et distincte
et à quel point ce critère peut être illusoire, à
quel point également le recours scolastique à la
garantie divine engageait Descartes dans les
voies de la spéculation la moins sérieuse.

⁎⁎

La méthode cartésienne n'existe que par son
support métaphysique. Les idées claires et distinctes sont vraies parce que Dieu ne peut pas

me tromper. Même les démonstrations mathématiques ne pourraient être considérées comme certaines sans la garantie de la véracité divine. Dieu est créateur des « vérités éternelles », c'est-à-dire des principes de la raison, y compris le principe de non-contradiction, et des grandes lois de la nature, lesquelles se ramènent du reste aux mathématiques, plus exactement à la géométrie. Non seulement Dieu a créé le monde, mais il le maintient à chaque instant dans l'être par un acte de « création continuée ». Toute la physique de Descartes est le prolongement de sa théologie — étant entendu qu'il s'agit d'une théologie philosophique et non religieuse, c'est-à-dire ne faisant pas appel à la révélation, sinon à cette espèce de révélation qu'est l'accord établi par Dieu entre la vérité et l'usage correct, conforme à la méthode, de l'entendement humain. La théorie cartésienne de Dieu est à ce point omniprésente dans l'ensemble de sa philosophie de la nature que, par exemple, comme il l'expose dans les *Principes*, l'espace ne peut pas, selon lui, être dit infini, mais seulement indéfini, et cela parce que l'*infinité est une perfection de l'être* et qu'on ne doit l'attribuer à aucun concept sinon à celui de Dieu.

Conçue comme l'ensemble des conséquences et des suites de la nature divine, et des propriétés attribuées par le philosophe à cette nature divine, la physique cartésienne est construite tout entière autour de l' « erreur mémorable », comme dira Liebniz, qui lui sert de fondement :

le principe de la conservation du mouvement[1].
On sait en effet que toute la physique du XVIIe
et du XVIIIe siècle a étudié les lois du mouvement, qu'au cours de ces deux cents ans l'image
mécaniste de l'univers a remplacé l'image vita-
liste d'Aristote, tout comme le principe d'inertie, selon lequel un corps qu'aucun frottement
ni obstacle n'arrête continue indéfiniment à se
mouvoir en ligne droite, a remplacé la définition
péripatéticienne et scolastique du mouvement
comme « passage de la puissance à l'acte ».
Mais si des travaux de Galilée — qu'il conteste
d'ailleurs — Descartes tire l'idée de l'importance du mouvement, c'est un peu à la manière
d'un philosophe d'aujourd'hui qui s'empare
d'un morceau de linguistique, de génétique ou
de psychanalyse et s'enfuit dans son coin pour
le digérer et l'intégrer à une métaphysique dont
les thèmes sont ainsi mis au goût du jour sans
que l'esprit archaïque en soit changé. La moder-
nité du mécanisme cartésien n'est dès lors
qu'apparente, car ce mécanisme procède de
motivations théologiques. En effet, si Descartes
affirme le principe de la conservation du mouvement, alors que le véritable principe rendant
compte des lois du choc est le principe de la
conservation de l'énergie, c'est pour deux raisons non scientifiques et je dirai même non
rationnelles : la première, qu'il faut que l'univers se conserve, car c'est une *conséquence du*

---

1. Liebniz, *Brevis demonstratio erroris memorabilis
Cartesii (Brève démonstration de l'erreur mémorable de
Descartes)*, 1686.

principe de l'immutabilité divine ; la seconde
que ce qui se conserve ne peut pas être de
l'énergie, car *aucun être autre que Dieu ne peut
contenir une puissance autonome,* une force
propre. (Selon le principe de la création continuée, il faut que tout être dépende de Dieu pour
chaque seconde de sa survie.) En décrétant dès
lors, conformément à ces principes, que tout se
fait dans le monde « par figure et par mouvement », Descartes suit de façon seulement extérieure et superficielle le modèle mathématique
qu'il semble se proposer ainsi. Sa physique ne
comporte pas de calculs. L'univers y est édifié
plus ou moins ingénieusement par une imagination qui travaille bien avec de la figure et du
mouvement, mais sans que le choix de ces deux
concepts géométriques entraîne pour autant
plus de rigueur que la physique scolastique.
Descartes est intellectuellement fort proche des
scolastiques dans la formulation même de son
grand principe, car, selon lui, Dieu a créé une
quantité constante de mouvement *et de repos,*
et les conserve soigneusement par la création
continuée. « Pour ce qui est de la première
cause du mouvement, il me semble qu'il est
évident [1] qu'il n'y en a point d'autre que Dieu,
qui de sa toute-puissance a créé la matière avec
le mouvement et le repos, et qui conserve maintenant en l'univers par son concours ordinaire
autant de mouvement et de repos qu'il y en a

---

1. Cet « il me semble qu'il est évident », souverainement
démonstratif et convaincant, est un bon exemple de la
méthode cartésienne des idées claires et distinctes.

mis en le créant[1]. » Ainsi, de façon bizarre, le
« repos » est *en soi* une réalité de même nature
que le mouvement. Le fait d'imaginer une antithèse symétrique de la réalité que l'on croit
constater, pour ensuite prêter une « nature »
substantielle à chacun des deux pôles de cette
antithèse — le sec et l'humide, le chaud et le
froid, le haut et le bas, le mouvement et le
repos *en soi* —, ce fait est précisément la caractéristique principale de la pensée scolastique.

Quant au géométrisme de Descartes, il a pour
avantage de le dispenser de faire attention à la
physique expérimentale. Car si la matière n'est
rien d'autre que l'étendue géométrique — ce
qui est la base de la conception cartésienne —,
cela permet d'aligner la physique sur la géométrie, c'est-à-dire d'en faire une science déductive *a priori*. En ramenant ainsi toute réalité
non purement spirituelle à l'étendue géométrique, considérée comme l' « essence » des
corps, Descartes tournait le dos à l'étude de la
matière (et de la vie) telle qu'elle s'ébauchait
enfin sérieusement de son temps. Toute la
science grecque, enseigne-t-on dans les histoires, avait été bloquée justement parce qu'elle
n'avait pas abouti à la distinction entre pensée
mathématique et pensée physique, d'une part,
entre matière et vie d'autre part. Pourquoi dès
lors, en vertu de quelle complaisance, peut-on
prêter à Descartes le mérite d'avoir été le « tota-

---

1. *Principes*, seconde partie, § 36.

lisateur » de l'épistémologie du XVIIᵉ siècle, alors qu'il a précisément maintenu cette confusion périmée entre étendue géométrique et matière, entre matière et vie ? Cette dernière assimilation, il est vrai, se fait chez Descartes en sens inverse de celui dans lequel les Grecs l'effectuaient. Au lieu de zoologiser la matière, l'auteur du *Discours de la Méthode* matérialise ou plutôt géométrise et mécanise l'animal. C'est la fameuse théorie des « animaux-machines ». Là encore, cette théorie, dans laquelle par un anachronisme zélé on a voulu voir l'ancêtre du behaviorisme ou du pavlovisme, n'est révolutionnaire qu'en apparence. Outre en effet qu'expliquer l'animal par la géométrie ne risquait guère de faire progresser la biologie, le propos de Descartes en inventant une telle théorie n'est pas du tout « matérialiste » : il n'est pas du tout de ramener la vie à la matière — ce qui n'est qu'une « retombée » de son système —, il est avant tout de séparer complètement et *métaphysiquement* l'homme de l'animal. « Au reste, je me suis un peu étendu sur le sujet de l'âme à cause qu'il est des plus importants ; car, après l'erreur de ceux qui nient Dieu, laquelle je pense avoir ci-dessus assez réfutée, il n'y en a point qui éloigne plutôt les esprits faibles du droit chemin de la vertu que d'imaginer que l'âme des bêtes soit de même nature que la nôtre et que par conséquent nous n'avons rien à craindre ni à espérer après cette vie, non plus que les mouches et les fourmis, au lieu que lorsqu'on sait combien elles diffèrent, on comprend beaucoup mieux les raisons qui prouvent que la nôtre est d'une nature complètement indépendante du corps et par conséquent qu'elle n'est point sujette à mourir avec lui ; puis, d'autant qu'on ne voit point d'autre cause qui la détruise, on est porté naturellement à juger de là qu'elle est immortelle [1]. » L'enjeu est donc essentiellement « le droit chemin de la vertu » et l'immortalité de l'âme. Deux substances, et deux substances seulement, sont présentes dans le monde : la pensée et l'étendue. Elles ne se mélangent que dans un cas : l'homme. En dehors de l'homme, ou plutôt de l'âme qu'il contient, il n'y a dans le monde que de l'étendue. En forgeant sa théorie des animaux-machines, Descartes veut essentiellement prouver que l'homme ne fait pas partie du règne animal. Aussi repousse-t-il, dans les *Méditations*, la définition de l'homme comme « animal raisonnable ».

Il ne s'agit pas tant ici de dresser le catalogue des erreurs scientifiques nombreuses commises par Descartes que de cerner l'erreur *d'orientation globale* qui découlait nécessairement de la façon même dont il posait le problème de la connaissance en le rattachant à la véracité divine et dont il expliquait le monde en le soumettant à sa théorie de la nature de Dieu. Par ailleurs, comme toutes les doctrines métaphysiques, la sienne, une fois formée, ne peut supporter d'être corrigée sans menacer ruine, et

---

1. *Discours*, cinquième partie.

Descartes, chaque fois qu'il est mis au courant
d'une nouvelle publication scientifique, ne lui
prête attention que pour savoir si elle peut se
plier ou non à son système et, dans la deuxième
éventualité, pour l'écarter sans ménagement.
Ainsi, en 1638, lorsqu'il lit les *Discorsi* de Galilée, qui viennent de paraître à Leyde [1], il écrit
aussitôt à Mersenne : « Tout ce qu'il dit de la
vitesse des corps qui descendent dans le vide,
etc., est bâti sans fondement ; car il aurait dû
auparavant déterminer ce que c'est que la
pesanteur ; et s'il en savait la vérité, il saurait
qu'elle est nulle dans le vide. » Cette glorieuse
affirmation — que la pesanteur est nulle dans
le vide — découle de la conception cartésienne
de la *matière* ramenée à l'*espace*, à l'étendue
pure de la géométrie : et comme il y a de
l'espace partout, il ne saurait y avoir de vide.
Parmi les autres « erreurs mémorables » de
Descartes, il faudrait citer sa théorie du magné-
tisme, s'inscrivant en faux contre le véridique
De Magnete de Gilbert, paru en 1600 ; sa théorie de la transmission instantanée de la lumière,
dont Römer allait en 1675 mesurer la vitesse, sa
théorie erronée de la circulation du sang,
venant après la découverte de Harvey, et qu'il
expose longuement dans la cinquième partie du
Discours comme premier grand exemple d'uti-
lisation de la méthode ; la théorie des tourbillons, destinée à éviter à l'auteur des *Principes*
le recours à l'hypothèse, condamnée par

---

1. *Discorsi e dimostrazioni matematiche intorno a due
nove scienze attenanti alla mecanica ed i movimenti locali.*

l'Eglise, du mouvement de la Terre. Professant que la Terre est immobile, mais que ce sont les tourbillons dont elle est entourée qui la transportent autour du Soleil, il écrit : « Je nie le mouvement de la Terre avec plus de soin que Copernic et plus de vérité que Tycho », et : « On ne peut pas proprement dire que la Terre et les Planètes se meuvent, bien qu'elles soient ainsi transportées [1]. » Si les *Principes* furent mis à l'Index par Rome en 1664, ce fut non pas pour avoir soutenu le mouvement de la Terre, mais — on ne saurait penser à tout — parce que la théorie cartésienne de la matière était incompatible avec le dogme de la Transsubstantiation : car le changement miraculeux de la substance du pain et du vin en la substance du corps et du sang de Jésus-Christ dans l'eucharistie ne se conçoit pas s'il y a complète hétérogénéité de la substance spirituelle et de la substance étendue.

Ce qui est grave n'est pas tant que Descartes ait commis des erreurs, mais que ses erreurs *ne soient pas des erreurs scientifiques*, c'est-à-dire ne soient pas des erreurs s'inscrivant dans la dialectique de la recherche, ni des erreurs dont les chercheurs, par la suite, aient pu tirer un enseignement, ce qui est le cas pour ce que j'appelle les erreurs scientifiques. On aura beau faire valoir que Newton aussi avait ses conceptions métaphysiques personnelles : cela ne fait

---

1. *Principes de la Philosophie*, troisième partie, § 19, 26 et 28.

que souligner indirectement l'abîme qui le
sépare de Descartes, car la physique de Newton
ne procède pas de ses thèses métaphysiques et
ne *peut* pas en procéder, alors que la physique
de Descartes ne peut procéder au contraire *que*
de sa métaphysique et qu'il entend ne la faire
procéder de rien d'autre. Il est bon de rappeler
en effet que Descartes, lorsqu'il mentionne le
recours à l'expérience, lui assigne un rôle non
pas de vérification des principes explicatifs
généraux de la nature, nous dirions des lois,
mais pour ainsi dire de complément d'information : après avoir déduit des principes les
grandes lois de base et même une masse assez
considérable d'explications de détail, l'esprit
atteint un niveau où l'expérience peut seule
décider entre plusieurs variantes possibles
parmi les conséquences d'un même principe.
« Je sais bien aussi qu'il pourra se passer plusieurs siècles avant qu'on ait ainsi déduit de
ces principes toutes les vérités qu'on en peut
déduire, parce que la plupart de celles qui restent à trouver dépendent de quelques expériences particulières qui ne se rencontreront
jamais par hasard, mais doivent être cherchées
avec soin et dépense par des hommes fort intelligents [1]. » Cela ne change rien au processus
intellectuel essentiellement métaphysico-déduc-
tif qui consiste à partir du Cogito et de Dieu
pour aboutir aux lois du mouvement et du choc.
C'est de Dieu que ces dernières sont en effet
extraites : l'article 36 de la deuxième partie des

---

1. *Principes*, préface.

Principes stipule « que Dieu est la première
cause du mouvement et qu'il en conserve toujours une quantité égale dans l'Univers », ce
dont l'article 37 déduit incontinent « la première loi de la nature : que chaque chose
demeure en l'état qu'elle est, pendant que rien
ne la change ».

Réciproquement, c'est un contresens grave
que d'accepter de sacrifier la physique et la
physiologie de Descartes en prônant en lui le
seul métaphysicien : car sa métaphysique avait
à ses yeux pour fonction d'assurer le fondement
de toutes les sciences dans le présent et dans
l'avenir. Vouloir la retrancher de ce qu'il en a
déduit est peut-être faire œuvre pie : ce n'est
pas rendre compte du système, de son inspiration, de son organisation, de sa réalité historique. Si Descartes a pu dans une comparaison
fameuse [1] peindre la philosophie comme « un
arbre dont les racines sont la métaphysique, le
tronc est la physique, et les branches qui sortent
de ce tronc sont toutes les autres sciences, qui
se réduisent à trois principales, à savoir la
médecine, la mécanique et la morale », on ne lui
rend guère hommage en proclamant qu'il n'a
réussi à faire pousser que des racines.

Ce n'était pas son avis, en tout cas. *La
connaissance de Dieu conduit à la connaissance
détaillée de l'univers*, tout le cartésianisme est

---

1. *Principes*, préface.

dans cette conviction. Il est dans les deux propositions complémentaires suivantes : d'un côté « si on ignore Dieu, on ne peut avoir de connaissance certaine d'aucune chose[1] », de l'autre, et réciproquement, la philosophie « découvre un chemin qui nous conduira de cette contemplation du vrai Dieu (dans lequel tous les trésors de la science et de la sagesse sont renfermés) à la connaissance des autres choses de l'Univers[2] ». Et, en effet, il suffit de parcourir la *Table* des *Principes* pour constater que les parties les plus fournies sont la troisième et la quatrième, qui traitent respectivement *Du Monde visible* et *De la Terre*. Descartes y explique minutieusement des questions telles que « comment les métaux viennent dans les mines et comment s'y fait le vermillon », « quelle est la lumière de l'eau de mer, des bois pourris, etc. », « comment s'engendrent les sucs aigres ou corrosifs qui entrent en la composition du vitriol, de l'alun et autres sels minéraux », « comment se fait le verre », etc. Or, les réponses données à ces questions découlent pour Descartes, indubitablement, le long d'un fil ininterrompu de raisons, des « principes de la connaissance humaine » énoncés dans la première partie, c'est-à-dire de sa métaphysique et de sa méthode. La science cartésienne ne constitue donc nullement un déchet sur lequel on puisse fermer les yeux avec une pudique indulgence, quelque chose d'adventice et de margi-

1. *Principes*, I, 13.
2. *Méditations*, IV.

nal. Le cartésianisme repose tout entier sur cette affirmation, dirigée contre tous les autres savants de son temps, qu'il est impossible d'aborder la connaissance des choses matérielles sans avoir au préalable établi les principes métaphysiques corrects d'où cette connaissance sera tirée.

.*.

Restait le problème de l'homme, et Descartes restitue à l'homme la place centrale que lui avaient enlevée les « humanistes », il refait de lui le trait unissant Dieu et le Monde, l'être privilégié qui seul trouve à sa naissance, en lui-même, cette « idée qui lui représente un Dieu [1] » sur laquelle tout l'édifice de la science va être construit. Mais ce que l'homme regagne en importance, chez Descartes, il le perd en complexité. Montaigne parlait d'un homme enfin capable de ne plus se voir à travers une idée générale de sa nature, mais de se percevoir, de se vivre, en effaçant les frontières entre le psychologique et le physiologique, la vertu et le vice, le voulu et l'involontaire, le conscient et l'inconscient. Cette expérience de l'homme par lui-même fait place, chez Descartes, à un homme déduit, construit à partir des deux substances primitives : l'étendue et la pensée. L'investigation psychologique de l'homme, commencée avec Montaigne, sans préjugé et avec cette sensibilité révolutionnaire qui décèle

1. Troisième *Méditation*.

les motivations inconscientes et l'origine sociale
des interdits, elle se poursuit dans la littérature.
Comparé à n'importe quelle page de La Roche-
foucauld ou de La Bruyère, ce que Descartes
écrit des *Passions de l'Ame* paraît pauvre, et
même, dans les parties consacrées à la description concrète de la vie affective, laborieux,
conventionnel et simpliste. Il est vrai que son
propos est moins de « réciter » l'homme que de
l'expliquer, et de l'expliquer à partir des
grandes lignes d'une métaphysique déjà entièrement fixée. Paru en 1649, le traité des *Passions
de l'Ame* est son dernier livre, et il se présente
à la lecture comme un mélange de physiologie
fantaisiste et de psychologie sommaire.
L'homme a une double nature : comment fonc-
tionnent-elles ensemble ? Je suis d'une part une
« chose qui pense » — mon âme —, d'autre
part j'ai un corps, qui est une « chose étendue »
et qui, en tant que tel, entre, ou entrerait —
dans la catégorie des animaux-machines. Mais il
se trouve que la substance pensante et la substance étendue sont unies en l'homme, et elles
sont en l'homme seulement susceptibles d'inter-
action. Du reste le mot « passion » déborde chez
Descartes le sens courant pour désigner en général tout ce que l'âme subit, reçoit « passive-
ment », par opposition à ses « actions ». Les
perceptions, dans cette acception générale,
font donc partie des passions. La catégorie des
passions inclut tout ce qui est éprouvé par
l'âme tout en n'étant pas dû exclusivement à
elle, contrairement à celles des pensées qui sont
pures de toute interférence du corps. Mais la

plus grande part du *Traité* est, cependant,
consacrée à ce que nous appelons émotions et
sentiments. Pour en rendre compte, Descartes
doit donc à la fois redonner un aperçu d'ensemble de sa physiologie, avec notamment sa version personnelle de l'influx nerveux, les
« esprits animaux », d'autre part dire en détail
comment naissent les passions dans cette région
particulière du « composé humain » qui n'est
ni entièrement spirituelle ni entièrement corporelle, et qui est à la fois les deux. Cette action
causale réciproque de la substance pensante sur
la substance matérielle, aucun des successeurs
de Descartes ne l'acceptera. Tous, Spinoza, Leibniz, Malebranche, la jugeront absurde sur le
plan ontologique, impossible à concevoir, et ils
imagineront des solutions ingénieuses pour
expliquer cette paradoxale union de l'esprit et
de la matière, ne se demandant jamais si ce
dualisme même n'était pas un faux problème.

Descartes, ayant posé « la distinction réelle
de l'âme et du corps », va d'abord à la solution
la plus simple : si mon bras bouge quand je
veux le lever, c'est que la volonté qui est en
l'âme agit directement sur lui. Inversement, si
je me sens abattu et triste lorsque mon corps
est affecté de quelque maladie, c'est qu'il y a
impression directe de l'état du corps sur l'état
d'âme. Comment ? C'est ici l'un des exemples
permettant de constater de quelles minces raisons se contenta Descartes pour énoncer parfois les thèses les plus fondamentales de sa
philosophie. L'âme, affirme-t-il d'abord, est unie

au corps tout entier. Mais, ajoute-t-il, « il y a une petite glande dans le cerveau en laquelle l'âme exerce ses fonctions plus particulièrement que dans les autres parties[1] ». Cette glande, c'est celle que nous appelons aujourd'hui l'épiphyse et qu'on nommait du temps de Descartes la glande pinéale. Pourquoi elle ? Eh bien, c'est très simple, poursuit Descartes : toutes les parties du cerveau sont doubles, et, d'autre part, tous nos organes des sens extérieurs et nos organes moteurs sont doubles : « Il faut donc nécessairement qu'il y ait quelque lieu où les deux images qui viennent par les deux yeux... se puissent assembler en une, avant qu'elles parviennent à l'âme, afin qu'elles ne lui représentent pas deux objets au lieu d'un. Et on peut aisément concevoir (*sic*) que ces images ou autres impressions se réunissent en cette glande... » Nous saisissons ici parfaitement bien le fonctionnement intellectuel de Descartes : en premier lieu, il pose en termes apparemment scientifiques un problème non scientifique, à savoir l'union de l'âme et du corps, et sur ce problème, qu'aucun biologiste, même croyant, ne traitera jamais en tant que tel, il se penche avec un luxe trompeur de précisions anatomiques, aussi superflues que le serait l'activité d'un stoïcien se livrant à un exposé très compliqué de géologie pour situer l'emplacement exact de l' « âme du monde » enseignée dans sa métaphysique. Or, précisément toute la critique de la scolastique consis-

---

1. *Les Passions de l'Ame*, I, 31.

tait à séparer enfin complètement la philosophie première et les sciences d'observation. Descartes ne semble pas l'avoir compris. En second lieu, même si l'on accepte d'envisager ce plan à la fois naturel et surnaturel, on est frappé de voir avec quelle facilité Descartes se satisfait des idées qui lui viennent à l'esprit et les affirme aussitôt comme seules possibles et seules exactes. On aurait du mal à trouver un raisonnement plus rudimentaire que celui qui conduit à décréter la prépondérance de la glande pinéale. N'importe qui pourrait en imaginer plusieurs autres, à l'aide d'arguments tout aussi vraisemblables, ou invraisemblables, en tout cas invérifiables, pour situer le siège de l'union de l'âme et du corps, en supposant qu'il tînt à le situer. Les preuves suggérées semblent d'autant plus sommaires que, comme d'habitude, dans une proclamation initiale, Descartes avait pris soin de rejeter comme défectueuses toutes les explications précédemment proposées des passions avant la sienne et d'annoncer, devant l'échec navrant de l'humanité pensante jusqu'à lui, dans ce domaine comme dans les autres, qu'il serait « obligé d'écrire ici en même façon que s'il traitait d'une matière que jamais personne avant lui n'eût touchée [1] ». On peut se demander si cette peur de l'information n'est pas le contraire du véritable esprit critique, dont Descartes prétend faire usage, et n'a pas pour fonction principale

---

1. *Les Passions de l'Ame*, I, 1.

de mettre sa propre pensée à l'abri de toute per-
turbation d'origine externe.

On a voulu voir dans le *Traité des Passions*
l'œuvre d'un moraliste et d'un sage : mais il
est malaisé, sans solliciter les textes, de trouver
dans les analyses de l' « admiration » et de la
« générosité » les trésors de subtilité que le
commentaire diligent peut toujours y introduire, et il est tout aussi malaisé de les trouver
dans les conseils pratiques donnés par Descartes pour maîtriser ses passions et être heureux. Elémentaires et abstraits, ses préceptes
sont de ce genre : « Ainsi, pour exciter en soi
la hardiesse et ôter la peur, il ne suffit pas d'en
avoir la volonté, mais il faut s'appliquer à considérer les raisons, les objets ou les exemples qui
persuadent que le péril n'est pas grand ; qu'il
y a toujours plus de sûreté en la défense qu'en
la fuite ; qu'on aura de la gloire et de la joie
d'avoir vaincu, au lieu qu'on ne peut attendre
que du regret et de la honte d'avoir fui, et
choses semblables[1]. » On a voulu également
voir dans le *Traité* un behaviorisme avant la
lettre, parce que Descartes y élabore une théorie du retentissement des états du corps sur
ceux de l'âme, c'est-à-dire des comportements
sur les états affectifs. Mais cette interprétation
s'inspire du même anachronisme rétroactif que
celle qui prête un caractère moderne à la
« vision mécaniste » de l'univers cartésien. Ce
qui est scientifique, c'est moins le contenu d'une
vision que l'esprit dont elle procède. Or, en

---

1. I, 45.

dépit de l'apparent déterminisme psycho-phy-
siologique de la théorie cartésienne, comment
oublier qu'elle découle tout entière d'une hypothèse métaphysique qui est la séparation de
l'esprit et de la matière, et qu'elle consiste à
construire *a priori* toute une machinerie destinée à montrer comment, dans un cas et dans
un seul, celui du composé humain, la pensée et
l'étendue interfèrent ? La psycho-physiologie est
née au contraire du refus de prendre au sérieux
une telle distinction substantielle, et du refus
de toute déduction *a priori*. La psychologie du
comportement ou le pavlovisme n'ont jamais
consisté à dire que l'homme est un mélange de
pensée pure et d'étendue géométrique, mais un
être vivant. Si l'on renonce aux anachronismes,
si l'on compare Descartes à ce qui peut être
comparé à lui, c'est-à-dire d'une part aux mora-
listes, d'autre part aux physiologistes de son
temps, on trouve qu'il est plutôt banal par
rapport aux premiers, et plutôt en retard, ou
plus exactement hors du contexte, par rapport
aux seconds.

Il faut préciser que la tentative pour tirer le
Descartes psychologue du *Traité des Passions*
et des *Lettres à Elizabeth* vers la psychologie
scientifique moderne (psychologie du comportement ou psycho-physiologie pavlovienne du
réflexe conditionné) est le fait des commentateurs modernes et non des prétentions de Descartes lui-même. Descartes, en effet, professait,
quant à lui, que nous ne pouvons aboutir à des
certitudes que relativement à deux substances,

la pensée pure et l'étendue pure, c'est-à-dire en
métaphysique et en géométrie. Mais le composé
humain ne peut pas, selon lui, être objet de
connaissance certaine, il se prête uniquement à
une connaissance conjecturale et empirique, et
la conduite de la vie relève d'une sagesse traditionnelle, d'une perspicacité personnelle vouées
à demeurer au niveau du probable et du vraisemblable.

Enfin Descartes, outre le problème de l'union
de l'âme et du corps, sa « solution » et ses
conséquences, s'attaque, pour parfaire sa théorie de l'homme, à une autre série de questions ;
celles posées par la préoccupation de disculper
Dieu des erreurs que l'homme peut commettre
et des souffrances qu'il peut éprouver. La difficulté provient de ce qu'il faut conserver
intacte la toute-puissance divine, créatrice de
l'homme et du monde, et qui continue à les
créer à chaque seconde, et qu'il faut cependant
lui ôter la responsabilité tant de l'erreur
humaine, sur le plan intellectuel, que du mal. Le
mal doit être justifié ou excusé sous son double
aspect de souffrance et de mal moral. Le premier point consiste à montrer la compatibilité
de l'erreur humaine et de la véracité divine, le
second, à montrer la compatibilité du mal et de
la bonté divine. En ce qui concerne le second
point, Descartes le règle dans la *Méditation*
sixième en faisant appel à la physiologie et à
l'anatomie. La question qui le préoccupe est
avant tout celle des déviations de l'instinct
et de l'inutilité de la souffrance sensorielle,

dans certains cas, comme celui de l'hydro-
pique assoiffé auquel l'eau est pourtant nuisible, et celui de l'amputé, que son membre
absent fait pourtant souffrir. Grâce à une
démonstration technique, Descartes n'a pas
de peine à montrer que, des diverses solutions
envisageables, en ce qui touche la localisation
du sentiment de la douleur ou du plaisir, Dieu a
choisi celle qui présente le minimum de déchet
et, dirions-nous aujourd'hui, assure « à 90 pour
100 » le bon fonctionnement de la souffrance et
de l'agrément comme signaux physiologiques
remplissant correctement leur rôle d'avertis-
seurs. Descartes prélude ainsi au grand thème
leibnizien du « meilleur des mondes possibles »,
c'est-à-dire d'un monde offrant un maximum
d'avantages pour un minimum d'inconvénients,
compte tenu de la nécessité pour Dieu d'adopter
des solutions qui, étant les meilleures possibles
chacune prise à part, à un certain point de vue,
peuvent avoir un effet négatif secondaire à un
autre point de vue.

Ce qui est intéressant, dans ces considérations, c'est moins leur détail, plus ou moins
convaincant, plus ou moins ingénieux, que le
principe général qui les inspire, à savoir le
passage du théologique au technique dès qu'un
problème se présente, ou, plus exactement, le
passage d'un type d'action divin à un type
d'action humain. Dieu, qui enferme toutes les
perfections, et réunit tous les pouvoirs lorsqu'il
s'agit de créer le monde et de fonder le vrai, se
transforme, dès qu'il s'agit de rendre compte

des ratés de sa création, en un modeste artisan qui aurait toutes les peines du monde à faire passer le tuyau d'eau chaude et le tuyau d'eau froide dans la même cloison, et qui se creuserait la tête pour trouver une astuce pas trop mauvaise. Cette technicisation, tout comme d'ailleurs la mathématisation (chez Spinoza ou Leibniz) du théologique, parvient, dans le langage du rationalisme, à donner une allure concertée et rigoureuse aux démarches les plus folles. Nous en avons vu un échantillon à propos du raisonnement pseudo-technique par lequel Descartes répond à la question, par elle-même absurde, du point d'insertion de l'âme et du corps. Je veux dire que ce genre de question, formulé et traité dans le langage mystique et lyrique d'un Plotin, n'est pas déplacé par rapport à ce langage ni à la vision du monde, à la manière d'argumenter, qu'embrasse la métaphysique plotinienne. En revanche, voir Descartes transposer de tels problèmes dans le langage de la rationalité technique et, sur le même ton dont on se demanderait avec Galilée pourquoi l'eau monte dans le corps de la pompe ou pourquoi les fontaniers de Florence réussissent à faire marcher les jets d'eau, le voir, lui, s'interroger sur la question de savoir si l'âme est unie à tout le corps ou à une partie seulement de ce corps, ou encore arranger le système nerveux de manière à épargner à Dieu la responsabilité de la souffrance humaine, c'est voir, sous le vêtement de l'expression rationalisante, une des problématiques les plus irrationnelles de toute la philosophie. De même, toute la deuxième partie des *Passions de l'Ame*, traitant « du nombre et de l'ordre des passions et l'explication des six primitives », apparaît de prime abord comme un monument de rigueur déductive ; mais en fait chaque chaînon de cette déduction est constitué par des associations purement verbales, sans que l'impression d'arbitraire qui se dégage des liaisons soit compensée par un sentiment de nouveauté ni d'originalité dans les descriptions.

La théorie de l'erreur intellectuelle, moins étrange parce que purement métaphysique, et ne mélangeant pas magiquement la nature et le surnaturel, permet, elle aussi (et le contraire eût surpris) de dégager la responsabilité divine. L'homme, dit Descartes, a un entendement limité, mais, par contre, une volonté infinie. Il ne peut comprendre que peu de choses clairement et distinctement, mais peut affirmer ou nier n'importe quoi. Ce débordement de la volonté sur l'intelligence est la cause de l'erreur qui se produit lorsque j'affirme quelque chose dont je n'ai pas une idée claire et distincte, « car la lumière naturelle nous enseigne que la connaissance de l'entendement doit toujours précéder la détermination de la volonté[1]. » La première remarque appelée par cette théorie séduisante est qu'elle reste fidèle à la conception scolastique des *facultés* : la volonté serait un « pouvoir d'affirmer et de nier » antérieur à ses actes et distinct de l'intelligence. La seconde remarque est que l'erreur,

---

1. Quatrième *Méditation : Du Vrai et du Faux.*

Descartes semble l'oublier, s'accompagne précisément toujours du sentiment que la clarté et la distinction requises ont été atteintes. Sur le plan logique, la théorie cartésienne est superflue, car si la démonstration est intellectuellement indubitable, dans le cas des mathématiques par exemple, le refus de la part de la volonté d'adhérer à cette démonstration est une éventualité purement spéculative et sans valeur statistique. Si la tentative de démonstration laisse au contraire place au doute, nous sommes ramenés à la série des problèmes classiques touchant la réfutation et la preuve, c'est-à-dire au choix du critère, qu'il n'appartient pas à la volonté de trancher. En somme, si le problème *logique* est résolu, l'intervention de la volonté est sans intérêt ; s'il ne l'est pas, elle est sans intérêt également, au point de vue logique s'entend. Et sur le plan *psychologique*, la théorie de Descartes est inapplicable, car tout le problème est que l'homme a constamment l'*impression* d'avoir des idées claires et distinctes et des informations suffisantes pour affirmer et nier, alors qu'il ne les a pas. C'est donc supposer ce problème résolu que de supposer acquise la faculté d'avoir à chaque instant conscience que les conditions logiques du jugement sont réunies ou non. Si cette faculté existait, l'erreur n'existerait pas. Personne ne dit jamais : « Je n'ai pas encore d'idée claire et distincte sur ce sujet, je vais cependant user de mon libre arbitre pour en affirmer ou nier quelque chose. » Depuis que les philosophes avaient commencé à étudier le problème psy-

chologique de l'erreur, et notamment **Platon**
dans l'*Hippias mineur*, le *Ménon*, le *Théétète*,
on avait compris que *celui qui se trompe volontairement ne se trompe en réalité pas*. Et,
inversement, que l'erreur réside précisément
dans la conviction que l'on a réuni toutes les
conditions qui permettent de l'éviter. Le
sophisme cartésien dégage donc la responsabilité divine au prix d'une recomposition des
moments du jugement tellement factice qu'elle
ne s'applique à aucune pratique effective de la
pensée.

⁂

Descartes peut être défini comme le premier
philosophe moderne, dans ce sens qu'il est le
premier à se trouver en face d'un nouveau type
d'activité intellectuelle sérieuse se développant
hors de la philosophie. On doit constater qu'il
n'a pas compris la nature de cette révolution, et
qu'il est resté fidèle aux procédés dogmatiques
de la philosophie antérieure. Il place notamment la philosophie de la nature et la philosophie morale dans la dépendance de la philosophie première. En logique, puisque c'est par
sa « méthode » qu'il imprime généralement son
nom dans les esprits, il n'a précisément pas
saisi le seul renouvellement méthodologique et
épistémologique qui se fût produit depuis
l'Antiquité. Peut-être fallait-il, d'ailleurs, pour
que sa philosophie fût, qu'il ne le saisît point.
Toujours est-il qu'il ne donne aucun témoignage
d'une compréhension claire de l'induction expérimentale. Le *Discours de la Méthode*, prôné

inlassablement comme l'évangile de la science
classique, représente au contraire la persis-
tance, au reste tout à fait isolée, de l'illusion
déductive en physique. On n'y trouve pas du
tout l'exposé de l'épistémologie nouvelle, mais
son contraire. Chacun peut y lire, par exemple,
un chapitre métaphysique où les dogmes des
Méditations sont annoncés brièvement, puis
un résumé du *Système du Monde*, qui constitue
la négation du « nouvel esprit scientifique »
d'alors, enfin une théorie erronée de la circulation du sang, que Descartes oppose à celle de
Harvey. Lorsque Descartes parle de l'expérience, à la fin du *Discours*, il révèle clairement
qu'il ne comprend pas la portée nouvelle de ce
concept : il parle d'expériences comme Aristote
et Galien auraient pu le faire (et encore est-il
bien moins curieux que ceux-ci d'observer),
c'est-à-dire non pas comme de leviers essentiels
dans l'*établissement* des lois et principes, mais
comme d'observations destinées à trancher
certains points de détail. C'est donc en vertu
d'un contresens historique presque incompré-
hensible qu'on a pu accréditer cette idée que
1637 et le *Discours* marquent le début de la
révolution intellectuelle moderne. Cette révolution intellectuelle moderne, elle apparaît
très nettement en 1600 dans le *De Magnete* de
Gilbert, livre que Galilée considérait comme le
modèle de la « nouvelle manière de philosopher » (en philosophie naturelle), puis en 1620
dans le *Novum Organum* de Bacon, en 1632
dans les *Dialoghi* et en 1638 dans les *Discorsi*
de Galilée. Au milieu de ces écrits, le *Discours*

de la Méthode est une sorte d'accident, d'exception. Il est à contre-courant. Ce philosophe solitaire, qui veut tout reconstruire tout seul, qui utilise le vocabulaire de la métaphysique la plus traditionnelle, avec ses « substances » et ses « attributs », ses idées qui contiennent « formellement » ou « éminemment » d'autres idées, etc., fait figure de résurgence du passé. Tous ceux qui forment alors l'Europe pensante, tous ceux qui participent à la refonte de la connaissance, professent la séparation de la métaphysique et de la science. Et cela, non seulement ceux des savants qui, comme Roberval, n'ont « pas d'opinion » en dehors de leur recherche proprement dite, mais jusqu'à des esprits religieux comme Pascal et Malebranche. Selon Pascal, il est indispensable de sortir une fois pour toutes de l'impasse de la « théologie rationnelle », discipline bâtarde consistant à tenter d'appliquer aux choses divines les procédés démonstratifs propres à la philosophie naturelle, et à la philosophie naturelle les procédés démonstratifs propres à la théologie et à la philosophie première. Cette confusion, c'est justement le propre du cartésianisme, et c'est elle que Pascal condamne, lorsqu'il déclare que « toute la philosophie ne vaut pas une heure de peine », entendant ainsi la philosophie naturelle [1], à savoir la prétendue science de Descartes, ce Descartes « inutile et incertain [2] ».

---

1. Quand Pascal condamne la « philosophie naturelle », il pense à la physique spéculative *a priori*, opposée à la physique expérimentale de Galilée.
2. *Pensées*. Ed. Brunschvicg, p. 361.

Les choses divines sont objet de Foi, et de son côté l'étude de la nature doit se faire selon la méthode de Galilée. Il n'y a plus, pour Pascal, que du religieux et du scientifique. Et Malebranche, bien qu'il appartînt à l'ordre de l'Oratoire, a formulé le premier, sans doute, l'idéal de la connaissance que l'on appellera au XIXe siècle « positiviste » : la science de la nature ne doit pas rechercher les « causes premières », les « essences des choses matérielles », mais seulement établir des lois, des relations entre les phénomènes. La métaphysique porte sur des notions métaphysiques, la théologie sur des notions théologiques, leur interférence avec l'explication des phénomènes visibles ne mène à rien, ni pour les unes ni pour les autres.

La promotion de Descartes au rang de pionnier de la science moderne est en réalité une création du XIXe siècle. Aucun de ses contemporains, de ceux qui jouaient un rôle effectif dans le mouvement des idées, n'a accepté le cartésianisme, aucun n'a considéré que Descartes eût donné une impulsion à la recherche. De son temps, sa gloire se répand surtout dans ce que nous appellerions aujourd'hui les milieux mondains. C'est à la cour d'une reine, désireuse de recevoir de lui des leçons de mathématiques, qu'il meurt, à Stockholm, en 1650. C'est à la princesse Elizabeth de Bohême qu'il expose sa théorie des passions. Certes il est en rapport, par l'intermédiaire de Mersenne, avec l'Europe savante, mais nous avons vu de quelle manière. Son succès tient à des images plus

qu'à des idées : les « mondes tombants », les
« tourbillons », les « esprits animaux », la
« matière subtile », les « animaux-machines »...
Dès la fin du XVIIᵉ, Descartes est discrédité, surtout par l'œuvre newtonienne, il est discuté
dans sa théorie de la connaissance par Locke,
et par tous les empiristes, qui se fondent sur
les théories de Locke. Au XVIIIᵉ siècle, on ne se
réfère plus guère à lui que comme à une curiosité archéologique — alors que précisément le
XVIIIᵉ siècle aurait dû, si l'on en croit la légende,
se considérer comme fils de Descartes. Mais
en fait les « philosophes » des Lumières ne
s'étaient pas du tout trompés sur la réalité du
cartésianisme en tant que métaphysique dogma-
tique et donc, pour eux, réactionnaire. Aux yeux
du grand public, le glas du cartésianisme est
officiellement sonné en 1734 avec les *Lettres
anglaises* de Voltaire. En 1743 d'Alembert peut
écrire dans le discours préliminaire de son
Traité de Dynamique : « Personne n'ignore que
les cartésiens (secte qui, à la vérité, n'existe
presque plus aujourd'hui) ne reconnaissent
point d'espace distingué des corps, et qu'ils
regardent l'étendue et la matière comme une
même chose. Au reste, quelque absurde que
nous paraissent l'opinion de ces philosophes, et
quelque peu de clarté et de précision qu'il y
ait dans les principes métaphysiques sur lesquels ils s'efforcent de l'appuyer, nous n'entre-
prendrons point, etc. » Cependant, il est exact
que la théorie des animaux-machines inspira la
théorie de l' « homme-machine » de La Mettrie,
parmi les matérialistes français du XVIIIᵉ siècle.

Mais pour justifier cette paternité, La Mettrie
était obligé d'affirmer que Descartes avait soutenu l'existence de Dieu et l'indépendance de la
Pensée « hypocritement », dans le dessein de
tromper l'Église, et qu'il fallait retenir de son
dualisme la seule substance étendue. Nous
savons quoi penser de ce Descartes « matérialiste caché », d'autant qu'une telle interprétation réduirait en poudre l'architecture même du
cartésianisme. Cette version « progressiste »
fut assez vivace pour que la Révolution célébrât
Descartes comme l'un des libérateurs de l'esprit
humain. Mais cette annexion ne fut assez
convaincante cependant ni pour qu'on le mette
au Panthéon, ni pour effacer la mauvaise opinion qu'avait eue de lui, dans l'ensemble, le
XVIIIᵉ siècle, empiriste et physicien. Le contre-
révolutionnaire Joseph de Maistre, par exemple,
ne lui attribue pas la responsabilité des maux
dont souffre, selon lui, l'époque moderne, mais
bien — et comment ne pas lui donner raison ?
— à Francis Bacon : « On y voit que Locke est
successeur de Bacon, ce qui est incontestable ;
on y voit que Locke, à son tour, engendra Hel-
vétius ; et que tous ces ennemis du genre
humain réunis... descendent de Bacon[1]. » Et
encore : « Plein d'une rancune machinale (dont
il ne connaissait lui-même ni la nature ni la
source), contre toutes les idées spirituelles,
Bacon attacha de toutes ses forces l'attention
générale sur les sciences matérielles, de manière
à dégoûter l'homme de tout le reste. Il repous-

---

1. *Examen de la Philosophie de Bacon.*

sait toute la métaphysique, toute la psychologie, toute la théologie naturelle dans la théologie positive, et il enfermait celle-ci sous clef dans l'église avec défense d'en sortir. » Descartes, on le voit, ne tombe sous le coup d'aucune des accusations formulées par Maistre.

C'est donc à partir du milieu du XIXᵉ siècle seulement que le cartésianisme est peu à peu élevé au rang de source primordiale de la pensée moderne. On a incomparablement plus écrit sur Descartes depuis cent ans qu'au cours des deux siècles qui ont suivi sa mort, au point même que la quasi-totalité de la bibliographie cartésienne s'échelonne entre 1860 et nos jours. Mais il s'agira là d'un cartésianisme réduit à la métaphysique (et à la méthode, qui n'a d'usage que métaphysique). Et c'est dans ce sens-là aussi que Descartes peut être appelé le « premier philosophe moderne » : voulant tracer les « limites de la science », affirmant qu'il n'était de connaissance certaine qu'étayée par une métaphysique, il a tendu tout son effort vers le refus en pratique de prendre acte d'une différence quelconque entre « l'ancienne manière de philosopher » et la nouvelle — pour employer les termes de Galilée — entre les démarches de la métaphysique et celles de la science. Bien mieux, il a soutenu que la science, loin de remplacer la métaphysique, devait au contraire chercher en elle son fondement. Par là, il indiquait la seule voie qui restât ouverte à la philosophie, la seule direction dans laquelle elle pouvait et devait s'engager pour survivre.

Il lui recommandait la vraie méthode à cet effet, c'est-à-dire une sorte de va-et-vient entre l'ensemble des connaissances scientifiques d'une époque et la pensée philosophique traditionnelle, non informative et non expérimentale, et il lui recommandait de présenter le dogmatisme métaphysique comme devant tenir lieu d'esprit critique aux sciences positives. C'est en apercevant cette ressource en lui que le XIXᵉ siècle a renouvelé l'interprétation du cartésianisme, plus en fonction de ses propres besoins que des besoins de la science historique. Il fallait que Descartes fût à la fois le prototype du rationaliste et du métaphysicien modernes, afin que le débat redevînt intérieur à la philosophie, afin que la science fût née de la philosophie et non de sa négation, ait été critiquée, ensuite, au nom d'un idéal supérieur au rationalisme scientifique et non par archaïsme. On oublia donc toute la partie de l'œuvre cartésienne consacrée aux sciences positives, on oublia le fiasco qui avait été très correctement jugé par le XVIIIᵉ et par Kant comme ruinant rétroactivement la métaphysique et la méthode, et l'on retint du système l'autorisation pour la pensée spéculative de ne rendre de comptes et de ne se confronter qu'à elle-même. A ce titre, c'est le « cogito » qui fut sacré conquête essentielle de la pensée des temps nouveaux. Le cogito réaffirmait l'indépendance de l'homme à l'égard de la matière, la supériorité de la pensée sur les choses, du libre-arbitre sur la causalité physique et, porte ouverte à la fois sur l'ontologie spéculative et la philosophie naturelle, il satisfaisait le désir de transcendance en empruntant le langage de l'immanence.

Pour défendre victorieusement la philosophie, il ne fallait évidemment pas faire appel aux thèses défraîchies de la scolastique. Mais Descartes ne s'oppose pas à la scolastique de la même manière que Galilée ou Bacon s'y opposent. Il s'agit pour lui de la remplacer pour faire ce qu'elle ne peut plus faire, et même n'a jamais (pense-t-il) été en mesure de faire ; il ne s'agit pas de faire autre chose. La question pour Descartes est de faire face à un phénomène d'usure des moyens et non pas de modifier les fins. Au contraire, Galilée ou Newton ne se proposent pas de substituer une philosophie à une autre philosophie en changeant les thèmes tout en conservant la manière de procéder, mais de substituer une nouvelle méthode de recherche opposée à celle de tous les systèmes philosophiques antérieurs, quelles que soient leurs divergences entre eux. C'est pourquoi je distinguerai entre révolution philosophique et révolution intellectuelle. Les révolutions philosophiques multiplient les divergences à l'intérieur de la philosophie, ce sont des créations de thèmes nouveaux au sein d'un mode de penser qui reste intact. Une révolution intellectuelle, par contre, porte non pas sur les thèmes, mais sur la manière de penser elle-même. Cela ne signifie pas qu'une révolution intellectuelle ne produise pas, elle aussi, de nouveaux thèmes — d'une autre nature d'ailleurs —, mais elle porte avant tout sur la source des thèmes. Galilée ou Freud sont les auteurs d'une révolution intellectuelle.

Une révolution philosophique consiste à changer de locataires, une révolution intellectuelle consiste à inventer une nouvelle architecture. Si imprévus soient les nouveaux locataires, et fussent-ils même ennemis jurés des précédents, ils ne renouvelleront pas l'habitat humain par leur seule présence, pas plus (pour recourir à une autre comparaison) qu'un changement de régime n'est par lui-même une révolution. Descartes a détrôné les concepts de la scolastique pour faire régner les siens, mais c'était le même pouvoir qu'il entendait exercer. Ses concepts sont souvent tout aussi confus que ceux des scolastiques. Il a mis ses thèmes à la place de leurs thèmes de pensée : il n'a pas révolutionné la pensée même. Ses motivations, ses ambitions, ses illusions sont identiques aux leurs. Son mécanisme est tout aussi métaphysique que leur aristotélisme, son recours à la véracité divine répare les effets de leur faillite sur le terrain même où elle a eu lieu. Descartes est l'auteur d'une révolution philosophique, il n'est pas l'auteur d'une révolution intellectuelle. Son rôle historique a été de résoudre le problème de l'adaptation de la pensée théologique à l'ère scientifique et de substituer un dogmatisme moderne au dogmatisme ancien.

« Environ le mois de décembre, 1690, écrit Pierre Bayle, dans le *Commentaire philosophique,* je formai le dessein de composer un dictionnaire critique, qui contiendrait un recueil des fautes qui ont été faites, tant par ceux qui ont fait des dictionnaires que par d'autres écrivains, et qui réduirait sous chaque nom d'homme ou de ville les fautes concernant cet homme ou cette ville... »

Pure tâche d'information, donc. Mais en lisant, on prend conscience que les fautes d'information, d'érudition pures qui sont relevées s'enracinent chez l'homme dans un instinct répandu et très sûr qui vise à expurger l'histoire humaine de ses abominations, dans un refoulement collectif des crimes de l'humanité contre l'humanité. « Il n'y a presque point de vice qui ait plus régné dans le genre humain que la haine que les hommes se portent les uns aux autres. »

Les « fautes » que relève Bayle sont des censures, et les erreurs cachent des horreurs. Aussi, pour Bayle, comme pour Pascal, l'homme conduit-il progressivement à Dieu, mais, pas avec le même effet. Contrairement à ce qui se passe chez Pascal, pour qui l'homme est seul responsable de sa déchéance, la mise en question de l'homme conduit Bayle à la mise en question de Dieu. Si, d'un point de vue philosophique, on refuse, et ce refus est légitime, d'avoir recours au mythe de la chute originelle, il faut conclure qu'un être aussi manifestement voué à l'erreur et au mal que l'homme constitue, en effet, la réfutation vivante soit de l'intelligence et de la bonté, soit de la toute-puissance de son créateur. Ou Dieu nous a créés tels que nous sommes, et, dès lors, il est lui-même complètement détraqué ; ou bien nous sommes ce que nous sommes en dépit de ses efforts, et, dans ce dernier cas, la toute-puissance divine n'est qu'un vain mot. C'est, pour ainsi dire, le rationalisme métaphysique retourné contre lui-même : l'on bute quelque part contre de l'irrationnel et cet irrationnel rejaillit jusqu'à la source empoisonnée de la raison.

En fait, lorsque nous parlons de rationalisme, nous entendons deux notions très différentes. L'une, le rationalisme scientifique, consiste à n'admettre que ce qui est prouvé par les mathématiques ou l'expérimentation ou vérifiable sur des sources dûment critiquées, pour autant qu'il s'agisse de connaître. C'est un rationalisme méthodologique, et c'est en ce sens que le mot est généralement entendu dans son usage courant. L'autre est le rationalisme métaphysique, tablant d'une part sur une certaine armature innée de la raison humaine, de l'autre sur une continuité rationnelle de l'univers en liaison harmonieuse avec Dieu et avec l'homme. Le rationalisme dans ce deuxième sens — celui où il a été pris dans ces pages — est l'exacte antithèse du rationalisme dans le premier sens.

Ainsi, Pascal est un rationaliste méthodologique, qui ne tient pour valable dans les sciences que l'induction expérimentale (ce qu'il appelle chercher la « raison des effets »), mais il est le contraire d'un rationaliste métaphysique. Il y a pour lui deux ordres de vérités indépendants : l'ordre scientifique et l'ordre religieux [1]. La philosophie est selon lui un

---

1. La note que Léon Brunschvicg adjoint à la phrase de Pascal « Descartes inutile et incertain » en constitue d'ailleurs un excellent commentaire :

entre-deux équivoque. Pour autant qu'il s'agisse de connaissance, elle erre complètement ; et vis-à-vis de la religion, elle peut servir de propédeutique, mais en aucun cas atteindre elle-même aux vérités éternelles, qui ne dépendent pas du raisonnement mais de l' « inspiration » — terme par lequel Pascal désigne la révélation et la grâce —, ou du « cœur ». Pour Pascal, les deux seules attitudes possibles sont le scientisme et la Foi — et elles sont compatibles.

Le malheur est que l'on confond très souvent les deux sens du mot rationalisme que je viens d'évoquer. On a donc du mal à comprendre aujourd'hui que le rationalisme métaphysique, au XVIIe siècle, fut directement opposé au rationalisme méthodologique issu de Galilée, à son tour issu du naturalisme de la Renaissance, que le premier visait à détruire, ou plutôt à retourner, à inverser. Il n'y a que le mot qui soit commun aux deux conceptions, l'expérimentale et la théologique. Aussi, *voir dans la*

« Inutile, parce que sa métaphysique ne touche pas à « l'unique nécessaire » ; incertain, parce qu'il édifie son système des choses sur des principes *a priori* qui ne peuvent être autre chose que des hypothèses. Il ne faut pas voir dans cette critique de Descartes par Pascal un désaveu de son passé scientifique. C'est au contraire en savant que Pascal parle ici ; ni en géométrie ni en physique il ne suit la méthode cartésienne : il ne croit ni à l'évidence des idées simples ni à la possibilité de construire rationnellement le monde. Sa géométrie est synthétique et concrète, sa physique est expérimentale et antimétaphysique. Le Pascal cartésien, au sens absolu où on l'a entendu, est une légende. » (Hachette, p. 361.)

*métaphysique rationnelle l'idéologie corres-
pondant à la révolution galiléenne est un contresens.* Cette idéologie avait pour fonction au
contraire de « récupérer » la révolution galiléenne tout en la neutralisant, et de perpétuer
ainsi dans un vocabulaire nouveau une pensée
ancienne. L'édifice conceptuel qu'elle construi-
sit à cet effet ne fut d'ailleurs jamais pris
complètement au sérieux, même par ses auteurs
— je veux dire dans les jugements qu'ils por-
taient les uns sur les autres. La protestation
existentielle et scientiste de Pascal, la protestation empirique et morale de Bayle tradui-
sirent l'insatisfaction sur laquelle l'optimisme
théologique de la métaphysique *a priori* laissait
les esprits. Cela ne « collait » de nouveau pas,
tout simplement.

Une fois de plus, l'homme dont la philosophie
nous parlait n'était pas l'homme au sujet
duquel nous l'avions interrogée. A cet être
obstiné qui tournait vers elle sa question maintenant deux fois millénaire et lui demandait :
« Qu'as-tu fais pour moi ? », la philosophie
répondait : « J'ai résolu tous les problèmes de
Dieu. — Et en échange, Lui qu'a-t-Il fait ? »,
elle répondait : « Il a résolu tous les problèmes
de la philosophie. »

DISCOURS DE LA MÉTHODE
pour bien conduire sa raison, et chercher la vérité dans les sciences.

SI ce discours semble trop long pour être tout lu en une fois, on le pourra distinguer en six parties. Et en la première on trouvera diverses considérations touchant les sciences. En la seconde, les principales règles de la méthode que l'auteur a cherchée. En la troisième, quelques-unes de celles de la morale qu'il a tirée de cette méthode. En la quatrième, les raisons par lesquelles il prouve l'existence de Dieu, et de l'âme humaine, qui sont les fondements de sa métaphysique. En la cinquième, l'ordre des questions de physique qu'il a cherchées, et particulièrement l'explication du mouvement du cœur, et de quelques autres difficultés qui appartiennent à la médecine, puis aussi la différence qui est entre notre âme et celle des bêtes. Et, en la dernière, quelles choses il croit être requises pour aller plus avant en la recherche de la nature qu'il n'a été, et quelles raisons l'ont fait écrire.

PREMIÈRE PARTIE

LE bon sens est la chose du monde la mieux
partagée * : car chacun pense en être si bien
pourvu que ceux même qui sont les plus difficiles à contenter en toute autre chose n'ont
point coutume d'en désirer plus qu'ils en ont.
En quoi il n'est pas vraisemblable que tous se
trompent; mais plutôt cela témoigne que la
puissance de bien juger, et distinguer le vrai
d'avec le faux, qui est proprement ce qu'on
nomme le bon sens, ou la raison, est naturellement égale en tous les hommes; et ainsi que
la diversité de nos opinions ne vient pas de
ce que les uns sont plus raisonnables que les
autres, mais seulement de ce que nous con-
duisons nos pensées par diverses voies, et ne
considérons pas les mêmes choses. Car ce
n'est pas assez d'avoir l'esprit bon, mais le
principal est de l'appliquer bien. Les plus
grandes âmes sont capables des plus grands
vices aussi bien que des plus grandes vertus;
et ceux qui ne marchent que fort lentement

* Répartie.

peuvent avancer beaucoup davantage, s'ils suivent toujours le droit chemin, que ne font
ceux qui courent, et qui s'en éloignent.

Pour moi, je n'ai jamais présumé que mon
esprit fût en rien plus parfait que ceux du
commun : même j'ai souvent souhaité d'avoir
la pensée aussi prompte, ou l'imagination
aussi nette et distincte, ou la mémoire aussi
ample, ou aussi présente, que quelques autres. Et je ne sache point de qualités que
celles-ci qui servent à la perfection de l'esprit : car pour la raison, ou le sens, d'autant
qu'elle est la seule chose qui nous rend hommes, et nous distingue des bêtes, je veux
croire qu'elle est tout entière en un chacun et
suivre en ceci l'opinion commune des philosophes, qui disent qu'il n'y a du plus et du
moins qu'entre les *accidents* et non point entre les *formes* ou natures des *individus* d'une
même *espèce.*

Mais je ne craindrai pas de dire que je
pense avoir eu beaucoup d'heur * de m'être rencontré dès ma jeunesse en certains chemins
qui m'ont conduit à des considérations et des
maximes dont j'ai formé une méthode par
laquelle il me semble que j'ai moyen d'augmen-
ter par degrés ma connaissance, et de l'élever
peu à peu au plus haut point auquel la médio-
crité de mon esprit et la courte durée de ma
vie lui pourront permettre d'atteindre. Car j'en
ai déjà recueilli de tels fruits qu'encore qu'aux

* Chance, bonheur fortuit.

jugements que je fais de moi-même je tâche
toujours de pencher vers le côté de la défiance
plutôt que vers celui de la présomption, et
que, regardant d'un œil de philosophe les diverses actions et entreprises de tous les hommes, il n'y en ait quasi aucune qui ne me
semble vaine et inutile, je ne laisse pas de recevoir une extrême satisfaction du progrès
que je pense avoir déjà fait en la recherche
de la vérité, et de concevoir de telles espéran-
ces pour l'avenir que si entre les occupations
des hommes purement hommes, il y en a
quelqu'une qui soit solidement bonne et importante, j'ose croire que c'est celle que j'ai
choisie.

Toutefois il se peut faire que je me trompe.
Et ce n'est peut-être qu'un peu de cuivre et
de verre que je prends pour de l'or et des
diamants. Je sais combien nous sommes sujets à nous méprendre en ce qui nous touche,
et combien aussi les jugements de nos amis
nous doivent être suspects lorsqu'ils sont en
notre faveur. Mais je serai bien aise de faire
voir en ce discours quels sont les chemins
que j'ai suivis, et d'y représenter ma vie
comme en un tableau, afin que chacun en
puisse juger, et qu'apprenant du bruit commun les opinions qu'on en aura, ce soit un
nouveau moyen de m'instruire que j'ajouterai
à ceux dont j'ai coutume de me servir.

Ainsi mon dessein n'est pas d'enseigner ici
la méthode que chacun doit suivre pour bien
conduire sa raison; mais seulement de faire

voir en quelle sorte j'ai tâché de conduire la mienne. Ceux qui se mêlent de donner des préceptes se doivent estimer plus habiles que ceux auxquels ils les donnent, et s'ils manquent en la moindre chose, ils en sont blâmables. Mais ne proposant cet écrit que comme une histoire, ou si vous l'aimez mieux que comme une fable, en laquelle, parmi quelques exemples qu'on peut imiter, on en trouvera peut-être aussi plusieurs autres qu'on aura raison de ne pas suivre, j'espère qu'il sera utile à quelques-uns, sans être nuisible à personne, et que tous me sauront gré de ma franchise.

J'ai été nourri aux lettres * dès mon enfance, et pour ce qu'on me persuadait que par leur moyen on pouvait acquérir une connaissance claire et assurée de tout ce qui est utile à la vie, j'avais un extrême désir de les apprendre. Mais sitôt que j'eus achevé tout ce cours d'études au bout duquel on a coutume d'être reçu au rang des doctes, je changeai entièrement d'opinion. Car je me trouvais embarrassé de tant de doutes et d'erreurs qu'il me semblait n'avoir fait autre profit en tâchant de m'instruire, sinon que j'avais découvert de plus en plus mon ignorance. Et néanmoins j'étais en l'une des plus célèbres écoles de l'Europe [1], où je pensais qu'il devait y avoir de savants hommes s'il y en avait en aucun endroit de la terre.

---

* Formé à l'étude des livres, aux disciplines qui s'étudient dans les livres.

J'y avais appris tout ce que les autres y apprenaient; et même, ne m'étant pas contenté des sciences qu'on nous enseignait, j'avais parcouru tous les livres traitant de celles qu'on estime les plus curieuses et les plus rares, qui avaient pu tomber entre mes mains. Avec cela je savais les jugements que les autres faisaient de moi; et je ne voyais point qu'on m'estimât inférieur à mes condisciples, bien qu'il y en eût déjà entre eux quelques-uns qu'on destinait à remplir les places de nos maîtres. Et enfin notre siècle me semblait aussi fleurissant, et aussi fertile en bons esprits, qu'ait été aucun des précédents. Ce qui me faisait prendre la liberté de juger par moi de tous les autres, et de penser qu'il n'y avait aucune doctrine dans le monde qui fût telle qu'on m'avait auparavant fait espérer.

Je ne laissais pas toutefois d'estimer les exercices auxquels on s'occupe dans les écoles. Je savais que les langues qu'on y apprend sont nécessaires pour l'intelligence des livres anciens; que la gentillesse des fables réveille l'esprit; que les actions mémorables des histoires le relèvent, et qu'étant lues avec discrétion elles aident à former le jugement; que la lecture de tous les bons livres est comme une conversation avec les plus honnêtes gens des siècles passés qui en ont été les auteurs, et même une conversation étudiée, en laquelle ils ne nous découvrent que les meilleures de leurs pensées; que l'éloquence a des forces et des beautés incomparables; que la poésie a des délicatesses et des douceurs très ravissantes; que les mathématiques ont des inventions très subtiles, et qui peuvent beaucoup servir tant à contenter les curieux qu'à faciliter tous les arts et diminuer le travail des hommes; que les écrits qui traitent des mœurs contiennent plusieurs enseignements et plusieurs exhortations à la vertu qui sont fort utiles; que la théologie enseigne à gagner le ciel; que la philosophie donne moyen de parler vraisemblablement de toutes choses, et se faire admirer des moins savants; que la jurisprudence, la médecine et les autres sciences apportent des honneurs et des richesses à ceux qui les cultivent; et enfin qu'il est bon de les avoir toutes examinées, même les plus superstitieuses et les plus fausses, afin de connaître leur juste valeur, et se garder d'en être trompé.

Mais je croyais avoir déjà donné assez de temps aux langues; et même aussi à la lecture des livres anciens, et à leurs histoires, et à leurs fables. Car c'est quasi le même de converser avec ceux des autres siècles que de voyager. Il est bon de savoir quelque chose des mœurs de divers peuples, afin de juger des nôtres plus sainement, et que nous ne pensions pas que tout ce qui est contre nos modes soit ridicule et contre raison, ainsi qu'ont coutume de faire ceux qui n'ont rien vu; mais lorsqu'on emploie trop de temps à voyager on devient enfin étranger en son pays; et lorsqu'on est trop curieux des choses qui se pratiquaient aux siècles passés, on demeure ordinairement fort ignorant de celles qui se pratiquent en celui-ci. Outre que les fables font imaginer plusieurs événements comme possibles qui ne le sont point; et que même les histoires les plus fidèles, si elles ne changent ni n'augmentent la valeur des choses pour les rendre plus dignes d'être lues, au moins en omettent-elles presque toujours les plus basses et moins illustres circonstances, d'où vient que le reste ne paraît pas tel qu'il est, et que ceux qui règlent leurs mœurs par les exemples qu'ils en tirent sont sujets à tomber dans les extravagances des paladins de nos romans, et à concevoir des desseins qui passent leurs forces.

J'estimais fort l'éloquence, et j'étais amoureux de la poésie; mais je pensais que l'une et l'autre étaient des dons de l'esprit, plutôt que des fruits de l'étude. Ceux qui ont le raisonnement le plus fort, et qui digèrent * le mieux leurs pensées afin de les rendre claires et intelligibles, peuvent toujours le mieux persuader ce qu'ils proposent, encore qu'ils ne parlassent que bas breton, et qu'ils n'eussent jamais appris de rhétorique; et ceux qui ont les inventions les plus agréables et qui les savent exprimer avec le plus d'ornement et de douceur ne laisseraient pas d'être les meilleurs poètes, encore que l'art poétique leur fût inconnu.

* Ordonnent.

Je me plaisais surtout aux mathématiques,
à cause de la certitude et de l'évidence de
leurs raisons, mais je ne remarquais point encore leur vrai usage, et, pensant qu'elles ne
servaient qu'aux arts mécaniques, je m'éton-
nais de ce que, leurs fondements étant si fermes et si solides, on n'avait rien bâti dessus
de plus relevé. Comme au contraire je compa-
rais les écrits des anciens païens qui traitent
des mœurs à des palais fort superbes et fort
magnifiques, qui n'étaient bâtis que sur du sable et sur de la boue; ils élèvent fort haut les
vertus, et les font paraître estimables par-
dessus toutes les choses qui sont au monde,
mais ils n'enseignent pas assez à les connaître, et souvent ce qu'ils appellent d'un si beau
nom n'est qu'une insensibilité, ou un orgueil,
ou un désespoir, ou un parricide [2].

Je révérais notre théologie, et prétendais
autant qu'aucun autre à gagner le ciel; mais
ayant appris comme chose très assurée que le
chemin n'en est pas moins ouvert aux plus
ignorants qu'aux plus doctes, et que les vérités révélées qui y conduisent sont au-dessus
de notre intelligence, je n'eusse osé les soumettre à la faiblesse de mes raisonnements, et
je pensais que pour entreprendre de les examiner, et y réussir, il était besoin d'avoir
quelque extraordinaire assistance du ciel, et
d'être plus qu'homme.

Je ne dirai rien de la philosophie, sinon
que, voyant qu'elle a été cultivée par les plus
excellents esprits qui aient vécu depuis plu-

sieurs siècles, et que néanmoins il ne s'y
trouve encore aucune chose dont on ne dispute, et par conséquent qui ne soit douteuse,
je n'avais point assez de présomption pour espérer d'y rencontrer * mieux que les autres; et
que, considérant combien il peut y avoir de diverses opinions touchant une même matière qui
soient soutenues par des gens doctes, sans
qu'il y en puisse avoir jamais plus d'une seule
qui soit vraie, je réputais presque pour faux
tout ce qui n'était que vraisemblable.

Puis, pour les autres sciences, d'autant
qu'elles empruntent leurs principes de la philosophie, je jugeais qu'on ne pouvait avoir
rien bâti qui fût solide sur des fondements si
peu fermes; et ni l'honneur ni le gain qu'elles
promettent n'étaient suffisants pour me convier à les apprendre : car je ne me sentais
point, grâces à Dieu, de condition qui m'obli-
geât à faire un métier de la science, pour le
soulagement de ma fortune; et quoique je ne
fisse pas profession de mépriser la gloire en
cynique, je faisais néanmoins fort peu d'état
de celle que je n'espérais point pouvoir acquérir qu'à faux titres. Et enfin, pour les
mauvaises doctrines, je pensais déjà connaître
assez ce qu'elles valaient pour n'être plus sujet à être trompé ni par les promesses d'un
alchimiste, ni par les prédictions d'un astrolo-
gue, ni par les impostures d'un magicien, ni
par les artifices ou la vanterie d'aucun de

* Réussir.

ceux qui font profession de savoir plus qu'ils
ne savent.

C'est pourquoi, sitôt que l'âge me permit
de sortir de la sujétion de mes précepteurs, je
quittai entièrement l'étude des lettres. Et me
résolvant de ne chercher plus d'autre science
que celle qui se pourrait trouver en moi-
même, ou bien dans le grand livre du monde,
j'employai le reste de ma jeunesse à voyager,
à voir des cours et des armées, à fréquenter
des gens de diverses humeurs et conditions, à
recueillir diverses expériences, à m'éprouver
moi-même dans les rencontres que la fortune
me proposait, et partout à faire telle réflexion
sur les choses qui se présentaient que j'en
pusse tirer quelque profit. Car il me semblait
que je pourrais rencontrer beaucoup plus de
vérité dans les raisonnements que chacun fait
touchant les affaires qui lui importent, et
dont l'événement le doit punir bientôt après
s'il a mal jugé, que dans ceux que fait un
homme de lettres dans son cabinet touchant
des spéculations qui ne produisent aucun
effet, et qui ne lui sont d'autre conséquence
sinon que peut-être il en tirera d'autant plus
de vanité qu'elles seront plus éloignées du
sens commun, à cause qu'il aura dû employer d'autant plus d'esprit et d'artifice à tâcher de les rendre vraisemblables. Et j'avais
toujours un extrême désir d'apprendre à distinguer le vrai d'avec le faux, pour voir clair
en mes actions, et marcher avec assurance en
cette vie.

Il est vrai que, pendant que je ne faisais que considérer les mœurs des autres hommes, je n'y trouvais guère de quoi m'assurer, et que j'y remarquais quasi autant de diversité que j'avais fait auparavant entre les opinions des philosophes. En sorte que le plus grand profit que j'en retirais était que, voyant plusieurs choses qui, bien qu'elles nous semblent fort extravagantes et ridicules, ne laissent pas d'être communément reçues et approuvées par d'autres grands peuples, j'apprenais à ne rien croire trop fermement de ce qui ne m'avait été persuadé que par l'exemple et par la coutume : et ainsi je me délivrais peu à peu de beaucoup d'erreurs qui peuvent offusquer * notre lumière naturelle, et nous rendre moins capables d'entendre raison. Mais après que j'eus employé quelques années à étudier ainsi dans le livre du monde et à tâcher d'acquérir quelque expérience, je pris un jour résolution d'étudier aussi en moi-même, et d'employer toutes les forces de mon esprit à choisir les chemins que je devais suivre. Ce qui me réussit beaucoup mieux, ce me semble, que si je ne me fusse jamais éloigné ni de mon pays ni de mes livres.

* Obscurcir.

SECONDE PARTIE

J'ÉTAIS alors en Allemagne où l'occasion des guerres qui n'y sont pas encore finies m'avait appelé, et comme je retournais du couronnement de l'Empereur vers l'armée, le commencement de l'hiver [3] m'arrêta en un quartier * où, ne trouvant aucune conversation qui me divertît, et n'ayant d'ailleurs par bonheur aucuns soins ni passions qui me troublassent, je demeurais tout le jour enfermé seul dans un poêle **, où j'avais tout loisir de m'entretenir de mes pensées. Entre lesquelles l'une des premières fut que je m'avisai de considérer que souvent il n'y a pas tant de perfection dans les ouvrages composés de plusieurs pièces, et faits de la main de divers maîtres, qu'en ceux auxquels un seul a travaillé. Ainsi voit-on que les bâtiments qu'un seul architecte a entrepris et achevés ont coutume d'être plus beaux et mieux ordonnés que ceux que plusieurs ont tâché de raccommoder, en faisant servir de

* Une résidence.
** Pièce chauffée, à l'allemande, par un poêle.

vieilles murailles qui avaient été bâties à d'autres fins. Ainsi ces anciennes cités qui, n'ayant été au commencement que des bourgades, sont devenues par succession de temps de grandes villes, sont ordinairement si mal compassées *, au prix de ces places ** régulières qu'un ingénieur trace à sa fantaisie dans une plaine, qu'encore que, considérant leurs édifices chacun à part, on y trouve souvent autant ou plus d'art qu'en ceux des autres, toutefois, à voir comme ils sont arrangés, ici un grand, là un petit, et comme ils rendent les rues courbées et inégales, on dirait que c'est plutôt la fortune que la volonté de quelques hommes usant de raison qui les a ainsi disposés. Et si on considère qu'il y a eu néanmoins de tout temps quelques officiers *** qui ont eu charge de prendre garde aux bâtiments des particuliers pour les faire servir à l'ornement du public, on connaîtra bien qu'il est malaisé, en ne travaillant que sur les ouvrages d'autrui, de faire des choses fort accomplies. Ainsi je m'imaginai que les peuples qui, ayant été autrefois demi-sauvages et ne s'étant civilisés que peu à peu, n'ont fait leurs lois qu'à mesure que l'incommodité des crimes et des querelles les y a contraints, ne sauraient être si bien policés que ceux qui, dès le commencement qu'ils se sont assemblés, ont observé les constitutions de quelque

* Dessinées.
** Villes fortifiées.
*** Fonctionnaires.

prudent législateur. Comme il est bien certain
que l'état de la vraie religion, dont Dieu seul
a fait les ordonnances, doit être incomparablement mieux réglé que tous les autres. Et
pour parler des choses humaines, je crois que
si Sparte a été autrefois très florissante, ce
n'a pas été à cause de la bonté de chacune de
ses lois en particulier, vu que plusieurs
étaient fort étranges, et même contraires aux
bonnes mœurs, mais à cause que, n'ayant été
inventées que par un seul, elles tendaient toutes à même fin[4]. Et ainsi je pensai que les
sciences des livres, au moins celles dont les
raisons ne sont que probables, et qui n'ont
aucunes démonstrations, s'étant composées et
grossies peu à peu des opinions de plusieurs
diverses personnes, ne sont point si appro-
chantes de la vérité que les simples raisonnements que peut faire naturellement un
homme de bon sens touchant les choses qui
se présentent. Et ainsi encore je pensai que,
pour ce que nous avons tous été enfants avant
que d'être hommes, et qu'il nous a fallu longtemps être gouvernés par nos appétits et nos
précepteurs, qui étaient souvent contraires les
uns aux autres, et qui ni les uns ni les autres
ne nous conseillaient peut-être pas toujours le
meilleur, il est presque impossible que nos
jugements soient si purs ni si solides qu'ils
auraient été si nous avions eu l'usage entier
de notre raison dès le point de notre naissance, et que nous n'eussions jamais été
conduits que par elle.

Il est vrai que nous ne voyons point qu'on jette par terre toutes les maisons d'une ville, pour le seul dessein de les refaire d'autre façon, et d'en rendre les rues plus belles; mais on voit bien que plusieurs font abattre les leurs pour les rebâtir, et que même quelquefois ils y sont contraints, quand elles sont en danger de tomber d'elles-mêmes, et que les fondements n'en sont pas bien fermes. A l'exemple de quoi je me persuadai qu'il n'y aurait véritablement point d'apparence * qu'un particulier fît dessein de réformer un Etat en y changeant tout dès les fondements, et en le renversant pour le redresser, ni même aussi de réformer le corps des sciences, ou l'ordre établi dans les écoles pour les enseigner; mais que, pour toutes les opinions que j'avais reçues jusques alors en ma créance, je ne pouvais mieux faire que d'entreprendre une bonne fois de les en ôter, afin d'y en remettre par après ou d'autres meilleures ou bien les mêmes, lorsque je les aurais ajustées au niveau de la raison. Et je crus fermement que par ce moyen je réussirais à conduire ma vie beaucoup mieux que si je ne bâtissais que sur de vieux fondements, et que je ne m'appuyasse que sur les principes que je m'étais laissé persuader en ma jeunesse sans avoir jamais examiné s'ils étaient vrais. Car bien que je remarquasse en ceci diverses difficul-

---

* Il ne serait vraiment pas raisonnable.

tés, elles n'étaient point toutefois sans remède, ni comparables à celles qui se trouvent en la réformation des moindres choses
qui touchent le public. Ces grands corps
sont trop malaisés à relever étant abattus,
ou même à retenir étant ébranlés, et leurs
chutes ne peuvent être que très rudes. Puis
pour leurs imperfections, s'ils en ont,
comme la seule diversité qui est entre eux
suffit pour assurer que plusieurs en ont,
l'usage les a sans doute fort adoucies, et
même il en a évité ou corrigé insensiblement
quantité auxquelles on ne pourrait si bien
pourvoir par prudence. Et enfin elles sont
quasi toujours plus supportables que ne serait leur changement. En même façon que
les grands chemins qui tournoient entre des
montagnes deviennent peu à peu si unis et
si commodes, à force d'être fréquentés, qu'il
est beaucoup meilleur de les suivre que
d'entreprendre d'aller plus droit, en grim-
pant au-dessus des rochers, et descendant
jusques au bas des précipices.

C'est pourquoi je ne saurais aucunement
approuver ces humeurs brouillonnes et inquiètes qui, n'étant appelées ni par leur naissance ni par leur fortune au maniement des
affaires publiques, ne laissent pas d'y faire
toujours en idée quelque nouvelle réformation. Et si je pensais qu'il y eût la moindre
chose en cet écrit par laquelle on me pût
soupçonner de cette folie, je serais très marri
de souffrir qu'il fût publié. Jamais mon des-

sein ne s'est étendu plus avant que de tâcher
à réformer mes propres pensées, et de bâtir
dans un fonds qui est tout à moi. Que si,
mon ouvrage m'ayant assez plu, je vous en
fais voir ici le modèle, ce n'est pas pour cela
que je veuille conseiller à personne de l'imiter; ceux que Dieu a mieux partagés de ses
grâces auront peut-être des desseins plus rele-
vés, mais je crains bien que celui-ci ne soit
déjà que trop hardi pour plusieurs. La seule
résolution de se défaire de toutes les opinions
qu'on a reçues auparavant en sa créance n'est
pas un exemple que chacun doive suivre; et
le monde n'est quasi composé que de deux
sortes d'esprits auxquels il ne convient aucunement. A savoir de ceux qui, se croyant plus
habiles qu'ils ne sont, ne se peuvent empêcher de précipiter leurs jugements, ni avoir
assez de patience pour conduire par ordre
toutes leurs pensées : d'où vient que s'ils
avaient une fois pris la liberté de douter des
principes qu'ils ont reçus, et de s'écarter du
chemin commun, jamais ils ne pourraient tenir le sentier qu'il faut prendre pour aller
plus droit, et demeureraient égarés toute leur
vie. Puis de ceux qui, ayant assez de raison,
ou de modestie, pour juger qu'ils sont moins
capables de distinguer le vrai d'avec le faux
que quelques autres par lesquels ils peuvent
être instruits, doivent bien plutôt se contenter de suivre les opinions de ces autres qu'en
chercher eux-mêmes de meilleures.

Et pour moi j'aurais été sans doute du

nombre de ces derniers si je n'avais jamais eu
qu'un seul maître, ou que je n'eusse point su
les différences qui ont été de tout temps entre
les opinions des plus doctes. Mais ayant appris dès le collège qu'on ne saurait rien imaginer de si étrange et si peu croyable qu'il n'ait
été dit par quelqu'un des philosophes; et depuis, en voyageant, ayant reconnu que tous
ceux qui ont des sentiments fort contraires
aux nôtres ne sont pas pour cela barbares ni
sauvages, mais que plusieurs usent autant ou
plus que nous de raison; et ayant considéré
combien un même homme, avec son même esprit, étant nourri dès son enfance entre des
Français ou des Allemands, devient différent
de ce qu'il serait s'il avait toujours vécu entre
des Chinois ou des Cannibales; et comment,
jusques aux modes de nos habits, la même
chose qui nous a plu il y a dix ans, et qui
nous plaira peut-être encore avant dix ans,
nous semble maintenant extravagante et ridicule, en sorte que c'est bien plus la coutume
et l'exemple qui nous persuadent qu'aucune
connaissance certaine; et que néanmoins la
pluralité des voix * n'est pas une preuve qui
vaille rien, pour les vérités un peu malai-
sées à découvrir, à cause qu'il est bien plus
vraisemblable qu'un homme seul les ait ren-
contrées que tout un peuple : je ne pouvais
choisir personne dont les opinions me sem-
blassent devoir être préférées à celles des au-

---

* La majorité des suffrages.

tres, et je me trouvai comme contraint d'entreprendre moi-même de me conduire.

Mais, comme un homme qui marche seul et dans les ténèbres, je me résolus d'aller si lentement et d'user de tant de circonspection en toutes choses que, si je n'avançais que fort peu, je me garderais bien, au moins, de tomber. Même je ne voulus point commencer à rejeter tout à fait aucune des opinions qui s'étaient pu glisser autrefois en ma créance sans y avoir été introduites par la raison, que je n'eusse auparavant employé assez de temps à faire le projet de l'ouvrage que j'entreprenais, et à chercher la vraie méthode pour parvenir à la connaissance de toutes les choses dont mon esprit serait capable.

J'avais un peu étudié, étant plus jeune, entre les parties de la philosophie à la logique [5] et entre les mathématiques à l'analyse des géomètres [6] et à l'algèbre [7], trois arts ou sciences qui semblaient devoir contribuer quelque chose à mon dessein. Mais en les examinant je pris garde que, pour la logique, ses syllogismes et la plupart de ses autres instructions servent plutôt à expliquer à autrui les choses qu'on sait, ou même, comme l'art de Lulle [8], à parler sans jugement de celles qu'on ignore, qu'à les apprendre. Et bien qu'elle contienne en effet beaucoup de préceptes très vrais et très bons, il y en a toutefois tant d'autres mêlés parmi, qui sont ou nuisibles ou superflus, qu'il est presque aussi malaisé de les en séparer que de tirer une Diane ou une Minerve hors d'un bloc de

marbre qui n'est point encore ébauché. Puis,
pour l'analyse des anciens [6] et l'algèbre des modernes [7], outre qu'elles ne s'étendent qu'à des
matières fort abstraites, et qui ne semblent
d'aucun usage, la première est toujours si as-
treinte à la considération des figures qu'elle ne
peut exercer l'entendement sans fatiguer beaucoup l'imagination; et on s'est tellement assu-
jetti en la dernière à certaines règles et à certains chiffres * qu'on en a fait un art confus et
obscur qui embarrasse l'esprit, au lieu d'une
science qui le cultive. Ce qui fut cause que je
pensai qu'il fallait chercher quelque autre méthode qui, comprenant les avantages de ces
trois, fût exempte de leurs défauts. Et comme
la multitude des lois fournit souvent des excu-
ses aux vices, en sorte qu'un Etat est bien
mieux réglé lorsque, n'en ayant que fort peu,
elles y sont fort étroitement observées, ainsi,
au lieu de ce grand nombre de préceptes dont
la logique est composée, je crus que j'aurais assez des quatre suivants, pourvu que je prisse
une ferme et constante résolution de ne manquer pas une seule fois à les observer.

Le premier était de ne recevoir jamais aucune chose pour vraie que je ne la connusse
évidemment être telle : c'est-à-dire d'éviter
soigneusement la précipitation et la prévention ** et de ne comprendre rien de plus en mes
jugements que ce qui se présenterait si claire-

* Caractères, symboles (ici, les caractères cossiques).
** Le préjugé.

ment et si distinctement à mon esprit que je n'eusse aucune occasion de le mettre en doute.

Le second, de diviser chacune des difficultés que j'examinerais en autant de parcelles qu'il se pourrait, et qu'il serait requis pour les mieux résoudre.

Le troisième, de conduire par ordre mes pensées, en commençant par les objets les plus simples et les plus aisés à connaître, pour monter peu à peu comme par degrés jusques à la connaissance des plus composés : et supposant même de l'ordre entre ceux qui ne se précèdent point naturellement les uns les autres.

Et le dernier, de faire partout des dénombrements si entiers et des revues si générales que je fusse assuré de ne rien omettre.

Ces longues chaînes de raisons toutes simples et faciles, dont les géomètres ont coutume de se servir pour parvenir à leurs plus difficiles démonstrations, m'avaient donné occasion de m'imaginer que toutes les choses qui peuvent tomber sous la connaissance des hommes s'entresuivent en même façon, et que, pourvu seulement qu'on s'abstienne d'en recevoir aucune pour vraie qui ne le soit, et qu'on garde toujours l'ordre qu'il faut pour les déduire les unes des autres, il n'y en peut avoir de si éloignées auxquelles enfin on ne parvienne, ni de si cachées qu'on ne découvre. Et je ne fus pas beaucoup en peine de chercher par lesquelles il était besoin de commencer : car je

savais déjà que c'était par les plus simples et
les plus aisées à connaître; et considérant
qu'entre tous ceux qui ont ci-devant recherché
la vérité dans les sciences, il n'y a eu que les
seuls mathématiciens qui ont pu trouver quelques démonstrations, c'est-à-dire quelques raisons certaines et évidentes, je ne doutais
point que ce ne fût par les mêmes qu'ils ont
examinées; bien que je n'en espérasse aucune
autre utilité, sinon qu'elles accoutumeraient
mon esprit à se repaître de vérités, et ne se
contenter point de fausses raisons. Mais je
n'eus pas dessein pour cela de tâcher d'apprendre toutes ces sciences particulières
qu'on nomme communément mathématiques [9] :
et voyant qu'encore que leurs objets soient
différents, elles ne laissent pas de s'accorder
toutes, en ce qu'elles n'y considèrent autre
chose que les divers rapports ou proportions
qui s'y trouvent, je pensai qu'il valait mieux
que j'examinasse seulement ces proportions
en général, et sans les supposer que dans les
sujets qui serviraient à m'en rendre la connaissance plus aisée; même aussi sans les y as-
treindre aucunement, afin de les pouvoir d'autant mieux appliquer après à tous les autres
auxquels elles conviendraient. Puis ayant pris
garde que, pour les connaître, j'aurais quelquefois besoin de les considérer chacune en
particulier, et quelquefois seulement de les retenir, ou de les comprendre plusieurs ensemble, je pensai que, pour les considérer mieux
en particulier, je les devais supposer en des

lignes, à cause que je ne trouvais rien de plus simple, ni que je pusse plus distinctement représenter à mon imagination et à mes sens; mais que, pour les retenir, ou les comprendre plusieurs ensemble, il fallait que je les expliquasse par quelques chiffres * les plus courts qu'il serait possible; et que par ce moyen j'emprunterais tout le meilleur de l'analyse géométrique [6] et de l'algèbre [7], et corrigerais tous les défauts de l'une par l'autre.

Comme en effet j'ose dire que l'exacte observation de ce peu de préceptes que j'avais choisis me donna telle facilité à démêler toutes les questions auxquelles ces deux sciences s'étendent, qu'en deux ou trois mois que j'employai à les examiner, ayant commencé par les plus simples et plus générales, et chaque vérité que je trouvais étant une règle qui me servait après à en trouver d'autres, non seulement je vins à bout de plusieurs que j'avais jugées autrefois très difficiles, mais il me sembla aussi vers la fin que je pouvais déterminer, en celles même que j'ignorais, par quels moyens, et jusques où, il était possible de les résoudre. En quoi je ne vous paraîtrai peut-être pas être fort vain, si vous considérez que, n'y ayant qu'une vérité de chaque chose, quiconque la trouve en sait autant qu'on en peut savoir : et que par exemple un enfant instruit en l'arithmétique, ayant fait une addition suivant ses règles, se peut assurer d'avoir trouvé,

---

* Symboles (ici, la notation algébrique moderne).

touchant la somme qu'il examinait, tout ce
que l'esprit humain saurait trouver. Car enfin
la méthode qui enseigne à suivre le vrai ordre, et à dénombrer exactement toutes les circonstances de ce qu'on cherche, contient tout
ce qui donne de la certitude aux règles d'arithmétique.

Mais ce qui me contentait le plus de cette
méthode était que par elle j'étais assuré d'user
en tout de ma raison, sinon parfaitement, au
moins le mieux qui fût en mon pouvoir; outre
que je sentais en la pratiquant que mon esprit
s'accoutumait peu à peu à concevoir plus nettement et plus distinctement ses objets, et que,
ne l'ayant point assujettie à aucune matière particulière, je me promettais de l'appliquer aussi
utilement aux difficultés des autres sciences
que j'avais fait à celles de l'algèbre. Non que
pour cela j'osasse entreprendre d'abord d'examiner toutes celles qui se présenteraient. Car
cela même eût été contraire à l'ordre qu'elle
prescrit : mais ayant pris garde que leurs principes devaient tous être empruntés de la philosophie, en laquelle je n'en trouvais point encore de certains, je pensai qu'il fallait avant
tout que je tâchasse d'y en établir; et que, cela
étant la chose du monde la plus importante, et
où la précipitation et la prévention étaient le
plus à craindre, je ne devais point entreprendre d'en venir à bout que je n'eusse atteint un
âge bien plus mûr que celui de vingt-trois ans
que j'avais alors et que je n'eusse auparavant
employé beaucoup de temps à m'y préparer,

tant en déracinant de mon esprit toutes les
mauvaises opinions que j'y avais reçues avant
ce temps-là, qu'en faisant amas de plusieurs expériences, pour être après la matière de mes
raisonnements, et en m'exerçant toujours en la
méthode que je m'étais prescrite, afin de m'y
affermir de plus en plus.

TROISIÈME PARTIE

Et enfin comme ce n'est pas assez, avant de commencer à rebâtir le logis où on demeure, que de l'abattre, et de faire provision de matériaux et d'architectes, ou s'exercer soi-même à l'architecture, et outre cela d'en avoir soigneusement tracé le dessin, mais qu'il faut aussi s'être pourvu de quelque autre où on puisse être logé commodément pendant le temps qu'on y travaillera : ainsi, afin que je ne demeurasse point irrésolu en mes actions pendant que la raison m'obligerait de l'être en mes jugements, et que je ne laissasse pas de vivre dès lors le plus heureusement que je pourrais, je me formai une morale par provision * qui ne consistait qu'en trois ou quatre maximes [10], dont je veux bien vous faire part.

La première était d'obéir aux lois et aux coutumes de mon pays, retenant constamment ** la religion en laquelle Dieu m'a fait la grâce d'être instruit dès mon enfance, et me gou-

---

* A titre d'acompte, en attendant mieux.
** Résolument.

vernant en toute autre chose suivant les opinions
les plus modérées et les plus éloignées de l'excès
qui fussent communément reçues en pratique
par les mieux sensés de ceux avec lesquels j'aurais à vivre. Car commençant dès lors à ne
compter pour rien les miennes propres, à cause
que je les voulais remettre toutes à l'examen,
j'étais assuré de ne pouvoir mieux que de suivre
celles des mieux sensés. Et encore qu'il y en ait
peut-être d'aussi bien sensés parmi les Perses
ou les Chinois que parmi nous, il me semblait
que le plus utile était de me régler selon ceux
avec lesquels j'aurais à vivre; et que pour savoir quelles étaient véritablement leurs opinions, je devais plutôt prendre garde à ce
qu'ils pratiquaient qu'à ce qu'ils disaient, non
seulement à cause qu'en la corruption de nos
mœurs il y a peu de gens qui veuillent dire
tout ce qu'ils croient, mais aussi à cause que
plusieurs l'ignorent eux-mêmes, car, l'action
de la pensée par laquelle on croit une chose
étant différente de celle par laquelle on connaît qu'on la croit, elles sont souvent l'une
sans l'autre. Et, entre plusieurs opinions également reçues, je ne choisissais que les plus
modérées, tant à cause que ce sont toujours
les plus commodes pour la pratique, et vraisemblablement les meilleures, tous excès
ayant coutume d'être mauvais, comme aussi
afin de me détourner moins du vrai chemin,
en cas que je faillisse, que si, ayant choisi
l'un des extrêmes, c'eût été l'autre qu'il eût
fallu suivre. Et particulièrement je mettais en-

tre les excès toutes les promesses par lesquelles on retranche quelque chose de sa liberté. Non que je désapprouvasse les lois qui, pour remédier à l'inconstance des esprits faibles, permettent, lorsqu'on a quelque bon dessein, ou même, pour la sûreté du commerce, quelque dessein qui n'est qu'indifférent, qu'on fasse des vœux ou des contrats qui obligent à y persévérer. Mais à cause que je ne voyais au monde aucune chose qui demeurât toujours en même état, et que pour mon particulier je me promettais de perfectionner de plus en plus mes jugements, et non point de les rendre pires, j'eusse pensé commettre une grande faute contre le bon sens si, pource que j'approuvais alors quelque chose, je me fusse obligé de la prendre pour bonne encore après, lorsqu'elle aurait peut-être cessé de l'être, ou que j'aurais cessé de l'estimer telle.

Ma seconde maxime était d'être le plus ferme et le plus résolu en mes actions que je pourrais, et de ne suivre pas moins constamment * les opinions les plus douteuses, lorsque je m'y serais une fois déterminé, que si elles eussent été très assurées. Imitant en ceci les voyageurs qui, se trouvant égarés en quelque forêt, ne doivent pas errer en tournoyant tantôt d'un côté tantôt d'un autre, ni encore moins s'arrêter en une place, mais marcher toujours le plus droit qu'ils peuvent vers un même côté, et ne le changer point pour de

* Résolument.

faibles raisons, encore que ce n'ait peut-être été au commencement que le hasard seul qui les ait déterminés à le choisir : car par ce moyen, s'ils ne vont justement où ils désirent, ils arriveront au moins à la fin quelque part où vraisemblablement ils seront mieux que dans le milieu d'une forêt. Et ainsi, les actions de la vie ne souffrant souvent aucun délai, c'est une vérité très certaine que, lorsqu'il n'est pas en notre pouvoir de discerner les plus vraies opinions, nous devons suivre les plus probables, et même qu'encore que nous ne remarquions point davantage de probabilité aux unes qu'aux autres, nous devons néanmoins nous déterminer à quelques-unes, et les considérer après non plus comme douteuses, en tant qu'elles se rapportent à la pratique, mais comme très vraies et très certaines, à cause que la raison qui nous y a fait déterminer se trouve telle. Et ceci fut capable dès lors de me délivrer de tous les repentirs et les remords qui ont coutume d'agiter les consciences de ces esprits faibles et chancelants qui se laissent aller inconstamment à pratiquer comme bonnes les choses qu'ils jugent après être mauvaises.

Ma troisième maxime était de tâcher toujours plutôt à me vaincre que la fortune, et à changer mes désirs que l'ordre du monde : et généralement de m'accoutumer à croire qu'il n'y a rien qui soit entièrement en notre pouvoir que nos pensées, en sorte qu'après que nous avons fait notre mieux touchant les cho-

ses qui nous sont extérieures, tout ce qui
manque de nous réussir est au regard de
nous absolument impossible. Et ceci seul me
semblait être suffisant pour m'empêcher de
rien désirer à l'avenir que je n'acquisse, et
ainsi pour me rendre content : car, notre volonté ne se portant naturellement à désirer
que les choses que notre entendement lui représente en quelque façon comme possibles,
il est certain que si nous considérons tous les
biens qui sont hors de nous comme également
éloignés de notre pouvoir, nous n'au-
rons pas plus de regrets de manquer de ceux
qui semblent être dus à notre naissance, lorsque nous en serons privés sans notre faute,
que nous avons de ne posséder pas les royau-
mes de la Chine ou du Mexique; et que faisant, comme on dit, de nécessité vertu, nous
ne désirerons pas davantage d'être sains étant
malades, ou d'être libres étant en prison, que
nous faisons maintenant d'avoir des corps
d'une matière aussi peu corruptible que les
diamants, ou des ailes pour voler comme les
oiseaux. Mais j'avoue qu'il est besoin d'un
long exercice, et d'une méditation souvent réi-
térée, pour s'accoutumer à regarder de ce
biais toutes les choses : et je crois que c'est
principalement en ceci que consistait le secret
de ces philosophes [2] qui ont pu autrefois se
soustraire de l'empire de la fortune, et, malgré les douleurs et la pauvreté, disputer de la
félicité avec leurs dieux. Car s'occupant sans
cesse à considérer les bornes qui leur étaient

prescrites par la nature, ils se persuadaient si parfaitement que rien n'était en leur pouvoir que leurs pensées, que cela seul était suffisant pour les empêcher d'avoir aucune affection pour d'autres choses; et ils disposaient d'elles si absolument qu'ils avaient en cela quelque raison de s'estimer plus riches, et plus puissants, et plus libres, et plus heureux qu'aucun des autres hommes, qui, n'ayant point cette philosophie, tant favorisés de la nature et de la fortune qu'ils puissent être, ne disposent jamais ainsi de tout ce qu'ils veulent.

Enfin pour conclusion de cette morale [10] je m'avisai de faire une revue sur les diverses occupations qu'ont les hommes en cette vie, pour tâcher à faire choix de la meilleure, et sans que je veuille rien dire de celles des autres, je pensai que je ne pouvais mieux que de continuer en celle-là même où je me trouvais, c'est-à-dire que d'employer toute ma vie à cultiver ma raison, et m'avancer autant que je pourrais en la connaissance de la vérité suivant la méthode que je m'étais prescrite. J'avais éprouvé de si extrêmes contentements depuis que j'avais commencé à me servir de cette méthode que je ne croyais pas qu'on en pût recevoir de plus doux, ni de plus innocents, en cette vie : et découvrant tous les jours par son moyen quelques vérités qui me semblaient assez importantes, et communément ignorées des autres hommes, la satisfaction que j'en avais remplissait tellement mon esprit que tout le reste ne me touchait point.

Outre que les trois maximes précédentes
n'étaient fondées que sur le dessein que
j'avais de continuer à m'instruire : car Dieu
nous ayant donné à chacun quelque lumière
pour discerner le vrai d'avec le faux, je
n'eusse pas cru me devoir contenter des opinions d'autrui un seul moment si je ne me
fusse proposé d'employer mon propre jugement à les examiner lorsqu'il serait temps; et
je n'eusse su m'exempter de scrupule en les
suivant si je n'eusse espéré de ne perdre pour
cela aucune occasion d'en trouver de meilleures, en cas qu'il y en eût. Et enfin je n'eusse
su borner mes désirs ni être content si je
n'eusse suivi un chemin par lequel, pensant
être assuré de l'acquisition de toutes les connaissances dont je serais capable, je le pensais être par même moyen de celle de tous les
vrais biens qui seraient jamais en mon pouvoir : d'autant que, notre volonté ne se portant à suivre ni à fuir aucune chose que selon
que notre entendement [la] lui représente
bonne ou mauvaise, il suffit de bien juger
pour bien faire, et de juger le mieux qu'on
puisse pour faire aussi tout son mieux, c'est-
à-dire pour acquérir toutes les vertus et ensemble tous les autres biens qu'on puisse acquérir; et lorsqu'on est certain que cela est,
on ne saurait manquer d'être content.

Après m'être ainsi assuré de ces maximes,
et les avoir mises à part, avec les vérités de la
foi, qui ont toujours été les premières en ma
créance, je jugeai que, pour tout le reste de

mes opinions, je pouvais librement entreprendre de m'en défaire. Et d'autant que j'espérais en pouvoir mieux venir à bout en conversant avec les hommes qu'en demeurant plus longtemps renfermé dans le poêle * où j'avais eu toutes ces pensées, l'hiver [3] n'était pas encore bien achevé que je me remis à voyager. Et en toutes les neuf années suivantes je ne fis autre chose que rouler çà et là dans le monde, tâchant d'y être spectateur plutôt qu'acteur en toutes les comédies qui s'y jouent; et faisant particulièrement réflexion en chaque matière sur ce qui la pouvait rendre suspecte, et nous donner occasion de nous méprendre, je déracinais cependant de mon esprit toutes les erreurs qui s'y étaient pu glisser auparavant. Non que j'imitasse pour cela les sceptiques, qui ne doutent que pour douter, et affectent d'être toujours irrésolus : car au contraire tout mon dessein ne tendait qu'à m'assurer et à rejeter la terre mouvante et le sable pour trouver le roc ou l'argile. Ce qui me réussissait, ce me semble, assez bien, d'autant que, tâchant à découvrir la fausseté ou l'incertitude des propositions que j'examinais, non par de faibles conjectures, mais par des raisonnements clairs et assurés, je n'en rencontrais point de si douteuses que je n'en tirasse toujours quelque conclusion assez certaine, quand ce n'eût été que cela même qu'elle ne contenait rien de certain. Et comme en abat-

* Pièce chauffée, à l'allemande, par un poêle.

tant un vieux logis on en réserve ordinairement les démolitions, pour servir à en bâtir
un nouveau, ainsi, en détruisant toutes celles
de mes opinions que je jugeais être mal fondées, je faisais diverses observations et acqué-
rais plusieurs expériences qui m'ont servi depuis à en établir de plus certaines. Et de plus
je continuais à m'exercer en la méthode que
je m'étais prescrite. Car outre que j'avais soin
de conduire généralement toutes mes pensées
selon ses règles, je me réservais de temps en
temps quelques heures que j'employais particulièrement à la pratiquer en des difficultés
de mathématique, ou même aussi en quelques
autres que je pouvais rendre quasi semblables
à celles des mathématiques, en les détachant
de tous les principes des autres sciences que
je ne trouvais pas assez fermes, comme vous
verrez que j'ai fait en plusieurs qui sont expliquées en ce volume. Et ainsi, sans vivre
d'autre façon en apparence que ceux qui,
n'ayant aucun emploi qu'à passer une vie
douce et innocente, s'étudient à séparer les
plaisirs des vices, et qui pour jouir de leur
loisir sans s'ennuyer usent de tous les diver-
tissements qui sont honnêtes, je ne laissais
pas de poursuivre en mon dessein, et de profiter en la connaissance de la vérité peut-être
plus que si je n'eusse fait que lire des livres,
ou fréquenter des gens de lettres.

Toutefois ces neuf ans s'écoulèrent avant
que j'eusse encore pris aucun parti touchant
les difficultés qui ont coutume d'être dispu-

tées entre les doctes, ni commencé à chercher
les fondements d'aucune philosophie plus certaine que la vulgaire *. Et l'exemple de plusieurs excellents esprits qui, en ayant eu ci-
devant le dessein, me semblaient n'y avoir pas
réussi m'y faisait imaginer tant de difficulté que
je n'eusse peut-être pas encore si tôt osé l'entreprendre si je n'eusse vu que quelques-uns faisaient déjà courre le bruit que j'en étais venu
à bout. Je ne saurais pas dire sur quoi ils
fondaient cette opinion; et si j'y ai contribué
quelque chose par mes discours, ce doit avoir
été en confessant plus ingénument ce que
j'ignorais que n'ont coutume de faire ceux
qui ont un peu étudié, et peut-être aussi en
faisant voir les raisons que j'avais de douter
de beaucoup de choses que les autres esti-
ment certaines, plutôt qu'en me vantant d'aucune doctrine [11]. Mais ayant le cœur assez bon
pour ne vouloir point qu'on me prît pour autre que je n'étais, je pensai qu'il fallait que je
tâchasse par tous moyens à me rendre digne
de la réputation qu'on me donnait; et il y a
justement huit ans que ce désir me fit résoudre à m'éloigner de tous les lieux où je pouvais avoir des connaissances, et à me retirer
ici en un pays où la longue durée de la guerre
a fait établir de tels ordres ** que les armées qu'on y entretient ne semblent servir
qu'à faire qu'on y jouisse des fruits de la paix

* Courante, ordinaire (ici, la philosophie scolastique).
** Règlements.

Discours de la méthode

avec d'autant plus de sûreté et où parmi la foule d'un grand peuple fort actif, et plus soigneux de ses propres affaires que curieux de celles d'autrui, sans manquer d'aucune des commodités qui sont dans les villes les plus fréquentées, j'ai pu vivre aussi solitaire et retiré que dans les déserts les plus écartés [12].

QUATRIÈME PARTIE

JE ne sais si je dois vous entretenir des premières méditations que j'y ai faites, car elles
sont si métaphysiques et si peu communes
qu'elles ne seront peut-être pas au goût de
tout le monde : et toutefois, afin qu'on puisse
juger si les fondements que j'ai pris sont assez fermes, je me trouve en quelque façon
contraint d'en parler. J'avais dès longtemps
remarqué que pour les mœurs * il est besoin
quelquefois de suivre des opinions qu'on sait
être fort incertaines, tout de même que si elles
étaient indubitables, ainsi qu'il a été dit ci-dessus : mais pource qu'alors je désirais vaquer
seulement à la recherche de la vérité, je pensai
qu'il fallait que je fisse tout le contraire, et que je
rejetasse comme absolument faux tout ce en
quoi je pourrais imaginer le moindre doute,
afin de voir s'il ne resterait point après cela
quelque chose en ma créance qui fût entièrement indubitable. Ainsi, à cause que nos sens

* Actions de la vie pratique.

nous trompent quelquefois, je voulus supposer
qu'il n'y avait aucune chose qui fût telle
qu'ils nous la font imaginer; et pource qu'il y
a des hommes qui se méprennent en raison-
nant, même touchant les plus simples matières de géométrie, et y font des paralogismes *,
jugeant que j'étais sujet à faillir autant qu'aucun autre, je rejetai comme fausses toutes les
raisons que j'avais prises auparavant pour
démonstrations; et enfin, considérant que
toutes les mêmes pensées que nous avons étant
éveillés nous peuvent aussi venir quand nous
dormons sans qu'il y en ait aucune pour lors
qui soit vraie, je me résolus de feindre que
toutes les choses qui m'étaient jamais entrées
en l'esprit n'étaient non plus vraies que les
illusions de mes songes. Mais aussitôt après
je pris garde que, pendant que je voulais
ainsi penser que tout était faux, il fallait
nécessairement que moi, qui le pensais,
fusse quelque chose : et remarquant que cette
vérité, *je pense, donc je suis*, était si ferme et
si assurée que toutes les plus extravagantes
suppositions des sceptiques n'étaient pas capables de l'ébranler, je jugeai que je pouvais
la recevoir sans scrupule pour le premier
principe de la philosophie que je cherchais.

Puis, examinant avec attention ce que
j'étais, et voyant que je pouvais feindre que
je n'avais aucun corps et qu'il n'y avait aucun
monde ni aucun lieu où je fusse, mais que je

* Fautes de raisonnement.

ne pouvais pas feindre pour cela que je n'étais point, et qu'au contraire, de cela même que je pensais à douter de la vérité des autres choses, il suivait très évidemment et très certainement que j'étais, au lieu que si j'eusse seulement cessé de penser, encore que tout le reste de ce que j'avais jamais imaginé eût été vrai, je n'avais aucune raison de croire que j'eusse été : je connus de là que j'étais une substance dont toute l'essence ou la nature n'est que de penser, et qui pour être n'a besoin d'aucun lieu ni ne dépend d'aucune chose matérielle, en sorte que ce moi, c'est-à-dire l'âme par laquelle je suis ce que je suis, est entièrement distincte du corps, et même qu'elle est plus aisée à connaître que lui, et qu'encore qu'il ne fût point elle ne laisserait pas d'être tout ce qu'elle est.

Après cela je considérai en général ce qui est requis à une proposition pour être vraie et certaine; car puisque je venais d'en trouver une que je savais être telle, je pensai que je devais aussi savoir en quoi consiste cette certitude. Et ayant remarqué qu'il n'y a rien du tout en ceci, *je pense donc je suis*, qui m'assure que je dis la vérité, sinon que je vois très clairement que pour penser il faut être, je jugeai que je pouvais prendre pour règle générale que les choses que nous concevons fort clairement et fort distinctement sont toutes vraies, mais qu'il y a seulement quelque difficulté à bien remarquer quelles sont celles que nous concevons distinctement.

En suite de quoi, faisant réflexion sur ce que je doutais, et que par conséquent mon être n'était pas tout parfait, car je voyais clairement que c'était une plus grande perfection de connaître que de douter, je m'avisai de chercher d'où j'avais appris à penser à quelque chose de plus parfait que je n'étais; et je connus évidemment que ce devait être de quelque nature qui fût en effet plus parfaite. Pour ce qui est des pensées que j'avais de plusieurs autres choses hors de moi, comme du ciel, de la terre, de la lumière, de la chaleur, et de mille autres, je n'étais point tant en peine de savoir d'où elles venaient, à cause que, ne remarquant rien en elles qui me semblât les rendre supérieures à moi, je pouvais croire que, si elles étaient vraies, c'étaient des dépendances de ma nature, en tant qu'elle avait quelque perfection, et, si elles ne l'étaient pas, que je les tenais du néant, c'est-à-dire qu'elles étaient en moi pource que j'avais du défaut. Mais ce ne pouvait être le même de l'idée d'un être plus parfait que le mien : car, de la tenir du néant, c'était chose manifestement impossible; et pource qu'il n'y a pas moins de répugnance * que le plus parfait soit une suite et une dépendance du moins parfait qu'il y en a que de rien procède quelque chose, je ne la pouvais tenir non plus de moi-même; de façon qu'il restait qu'elle eût été mise en moi par une nature qui fût

* Contradiction.

véritablement plus parfaite que je n'étais, et
même qui eût en soi toutes les perfections
dont je pouvais avoir quelque idée, c'est-
à-dire, pour m'expliquer en un mot, qui fût
Dieu. A quoi j'ajoutai que, puisque je connaissais quelques perfections que je n'avais
point, je n'étais pas le seul être qui existât
(j'userai, s'il vous plaît, ici librement des
mots de l'École), mais qu'il fallait de nécessité
qu'il y en eût quelque autre plus parfait, duquel je dépendisse, et duquel j'eusse acquis
tout ce que j'avais : car si j'eusse été seul et
indépendant de tout autre, en sorte que
j'eusse eu de moi-même tout ce peu que je
participais de l'être parfait, j'eusse pu avoir
de moi par même raison tout le surplus que
je connaissais me manquer, et ainsi être moi-
même infini, éternel, immuable, tout connaissant, tout-puissant, et enfin avoir toutes les
perfections que je pouvais remarquer être en
Dieu. Car, suivant les raisonnements que je
viens de faire, pour connaître la nature de
Dieu autant que la mienne en était capable, je
n'avais qu'à considérer, de toutes les choses
dont je trouvais en moi quelque idée, si
c'était perfection ou non de les posséder, et
j'étais assuré qu'aucune de celles qui mar-
quaient quelque imperfection n'était en lui,
mais que toutes les autres y étaient. Comme
je voyais que le doute, l'inconstance, la tris-
tesse, et choses semblables, n'y pouvaient
être, vu que j'eusse été moi-même bien aise
d'en être exempt. Puis outre cela j'avais des

idées de plusieurs choses sensibles et corporelles : car quoique je supposasse que je rê-
vais, et que tout ce que je voyais ou imaginais
était faux, je ne pouvais nier toutefois que les
idées n'en fussent véritablement en ma pensée; mais pource que j'avais déjà connu en
moi très clairement que la nature intelligente
est distincte de la corporelle, considérant que
toute composition témoigne de la dépendance,
et que la dépendance est manifestement un
défaut, je jugeais de là que ce ne pouvait être
une perfection en Dieu d'être composé de ces
deux natures, et que par conséquent il ne
l'était pas; mais que s'il y avait quelques
corps dans le monde, ou bien quelques intelli-
gences * ou autres natures qui ne fussent
point toutes parfaites, leur être devait dépendre de sa puissance en telle sorte qu'elles ne
pouvaient subsister sans lui un seul moment.

Je voulus chercher après cela d'autres vérités, et, m'étant proposé l'objet des géomètres,
que je concevais comme un corps continu, ou
un espace indéfiniment étendu en longueur,
largeur et hauteur ou profondeur, divisible en
diverses parties, qui pouvaient avoir diverses
figures et grandeurs et être mues ou transpo-
sées en toutes sortes, car les géomètres suppo-
sent tout cela en leur objet, je parcourus
quelques-unes de leurs plus simples démonstrations; et, ayant pris garde que cette
grande certitude que tout le monde leur attri-

---

* Etres intelligents, « choses qui pensent ».

bue n'est fondée que sur ce qu'on les conçoit
évidemment, suivant la règle que j'ai tantôt
dite, je pris garde aussi qu'il n'y avait rien du
tout en elles qui m'assurât de l'existence de
leur objet : car par exemple je voyais bien
que, supposant un triangle, il fallait que ses
trois angles fussent égaux à deux droits, mais
je ne voyais rien pour cela qui m'assurât qu'il
y eût au monde aucun triangle : au lieu que,
revenant à examiner l'idée que j'avais d'un
être parfait, je trouvais que l'existence y était
comprise, en même façon qu'il est compris en
celle d'un triangle que ses trois angles sont
égaux à deux droits, ou en celle d'une sphère
que toutes ses parties sont également distan-
tes de son centre, ou même encore plus évidemment; et que par conséquent il est pour
le moins aussi certain que Dieu, qui est cet
être parfait, est ou existe, qu'aucune démonstration de géométrie le saurait être.

Mais ce qui fait qu'il y en a plusieurs qui
se persuadent qu'il y a de la difficulté à le
connaître, et même aussi à connaître ce que
c'est que leur âme, c'est qu'ils n'élèvent jamais leur esprit au-delà des choses sensibles,
et qu'ils sont tellement accoutumés à ne rien
considérer qu'en l'imaginant, qui est une façon de penser particulière pour les choses
matérielles, que tout ce qui n'est pas imagi-
nable leur semble n'être pas intelligible. Ce qui
est assez manifeste de ce que même les philosophes tiennent pour maxime dans les écoles
qu'il n'y a rien dans l'entendement qui n'ait

premièrement été dans le sens, où toutefois il est certain que les idées de Dieu et de l'âme n'ont jamais été, et il me semble que ceux qui veulent user de leur imagination pour les comprendre font tout de même que si, pour ouïr les sons ou sentir les odeurs, ils se voulaient servir de leurs yeux : sinon qu'il y a encore cette différence, que le sens de la vue ne nous assure pas moins de la vérité de ses objets que font ceux de l'odorat ou de l'ouïe, au lieu que ni notre imagination ni nos sens ne nous sauraient jamais assurer d'aucune chose si notre entendement n'y intervient.

Enfin, s'il y a encore des hommes qui ne soient pas assez persuadés de l'existence de Dieu et de leur âme par les raisons que j'ai apportées, je veux bien qu'ils sachent que toutes les autres choses dont ils se pensent peut-être plus assurés, comme d'avoir un corps, et qu'il y a des astres, et une Terre, et choses semblables, sont moins certaines : car encore qu'on ait une assurance morale * de ces choses, qui est telle qu'il semble qu'à moins que d'être extravagant on n'en peut douter, toutefois aussi, à moins que d'être déraisonnable, lorsqu'il est question d'une certitude métaphysique, on ne peut nier que ce ne soit assez de sujet pour n'en être pas entièrement assuré que d'avoir pris garde qu'on peut en même façon s'imaginer, étant endormi, qu'on a un autre corps, et qu'on voit d'autres astres, et

---

* « Suffisante pour régler nos mœurs », c'est-à-dire nos actions.

une autre terre, sans qu'il en soit rien. Car
d'où sait-on que les pensées qui viennent en
songe sont plutôt fausses que les autres, vu
que souvent elles ne sont pas moins vives et
expresses * ? Et que les meilleurs esprits y
étudient tant qu'il leur plaira, je ne crois pas
qu'ils puissent donner aucune raison qui soit
suffisante pour ôter ce doute, s'ils ne présup-
posent l'existence de Dieu. Car premièrement
cela même que j'ai tantôt pris pour une règle,
à savoir que les choses que nous concevons
très clairement et très distinctement sont toutes vraies, n'est assuré qu'à cause que Dieu
est ou existe, et qu'il est un être parfait, et
que tout ce qui est en nous vient de lui : d'où
il suit que nos idées ou notions, étant des
choses réelles, et qui viennent de Dieu en tout
ce en quoi elles sont claires et distinctes, ne
peuvent en cela être que vraies. En sorte que
si nous en avons assez souvent qui contiennent de la fausseté, ce ne peut être que de
celles qui ont quelque chose de confus et obscur, à cause qu'en cela elles participent du
néant, c'est-à-dire qu'elles ne sont en nous
ainsi confuses qu'à cause que nous ne sommes pas tout parfaits. Et il est évident qu'il
n'y a pas moins de répugnance ** que la fausseté ou l'imperfection procède de Dieu en
tant que telle, qu'il y en a que la vérité ou la
perfection procède du néant. Mais si nous ne

* Nettes.
** Contradiction.

savions point que tout ce qui est en nous de réel, et de vrai, vient d'un être parfait et infini, pour claires et distinctes que fussent nos idées, nous n'aurions aucune raison qui nous assurât qu'elles eussent la perfection d'être vraies.

Or, après que la connaissance de Dieu et de l'âme nous a ainsi rendus certains de cette règle, il est bien aisé à connaître que les rêveries que nous imaginons étant endormis ne doivent aucunement nous faire douter de la vérité des pensées que nous avons étant éveillés. Car s'il arrivait même en dormant qu'on eût quelque idée fort distincte, comme par exemple qu'un géomètre inventât quelque nouvelle démonstration, son sommeil ne l'empêcherait pas d'être vraie. Et pour l'erreur la plus ordinaire de nos songes, qui consiste en ce qu'ils nous représentent divers objets en même façon que font nos sens extérieurs, il n'importe pas qu'elle nous donne occasion de nous défier de la vérité de telles idées, à cause qu'elles peuvent aussi nous tromper assez souvent sans que nous dormions : comme lorsque ceux qui ont la jaunisse voient tout de couleur jaune, ou que les astres ou autres corps fort éloignés nous paraissent beaucoup plus petits qu'ils ne sont. Car enfin, soit que nous veillions, soit que nous dormions, nous ne nous devons jamais laisser persuader qu'à l'évidence de notre raison. Et il est à remarquer que je dis : de notre raison, et non point : de notre imagination, ni : de nos sens.

Comme, encore que nous voyions le soleil très clairement, nous ne devons pas juger pour cela qu'il ne soit que de la grandeur que nous le voyons; et nous pouvons bien imaginer distinctement une tête de lion entée sur le corps d'une chèvre, sans qu'il faille conclure pour cela qu'il y ait au monde une chimère : car la raison ne nous dicte point que ce que nous voyons ou imaginons ainsi soit véritable. Mais elle nous dicte bien que toutes nos idées ou notions doivent avoir quelque fondement de vérité, car il ne serait pas possible que Dieu, qui est tout parfait et tout véritable, les eût mises en nous sans cela; et pource que nos raisonnements ne sont jamais si évidents ni si entiers pendant le sommeil que pendant la veille, bien que quelquefois nos imaginations soient alors autant ou plus vives et expresses, elle nous dicte aussi que, nos pensées ne pouvant être toutes vraies, à cause que nous ne sommes pas tout parfaits, ce qu'elles ont de vérité doit infailliblement se rencontrer en celles que nous avons étant éveillés plutôt qu'en nos songes.

CINQUIÈME PARTIE

Je serais bien aise de poursuivre et de faire voir ici toute la chaîne des autres vérités que j'ai déduites de ces premières : mais, à cause que, pour cet effet, il serait maintenant besoin que je parlasse de plusieurs questions qui sont en controverse entre les doctes, avec lesquels je ne désire point me brouiller, je crois qu'il sera mieux que je m'en abstienne, et que je dise seulement en général quelles elles sont, afin de laisser juger aux plus sages s'il serait utile que le public en fût plus particulièrement informé. Je suis toujours demeuré ferme en la résolution que j'avais prise de ne supposer aucun autre principe que celui dont je viens de me servir pour démontrer l'existence de Dieu et de l'âme, et de ne recevoir aucune chose pour vraie qui ne me semblât plus claire et plus certaine que n'avaient fait auparavant les démonstrations des géomètres : et néanmoins j'ose dire que non seulement j'ai trouvé moyen de me satisfaire en peu de temps touchant toutes les principales difficultés dont on a coutume de traiter en la philosophie, mais aussi que j'ai remarqué certaines lois que Dieu a tellement établies en la nature, et dont il a imprimé de telles notions en nos âmes, qu'après y avoir fait assez de réflexion nous ne saurions douter qu'elles ne soient exactement observées en tout ce qui est ou qui se fait dans le monde. Puis, en considérant la suite de ces lois, il me semble avoir découvert plusieurs vérités plus utiles et plus importantes que tout ce que j'avais appris auparavant, ou même espéré d'apprendre.

Mais pour ce que j'ai tâché d'en expliquer les principales dans un traité [13] que quelques considérations m'empêchent de publier [14], je ne les saurais mieux faire connaître qu'en disant ici sommairement ce qu'il contient. J'ai eu dessein d'y comprendre tout ce que je pensais savoir avant que de l'écrire touchant la nature des choses matérielles. Mais tout de même que les peintres, ne pouvant également bien représenter dans un tableau plat toutes les diverses faces d'un corps solide, en choisissent une des principales qu'ils mettent seule vers le jour, et, ombrageant les autres, ne les font paraître qu'en tant qu'on les peut voir en la regardant : ainsi, craignant de ne pouvoir mettre en mon discours tout ce que j'avais en la pensée, j'entrepris seulement d'y exposer bien amplement ce que je concevais de la lumière puis, à son occasion, d'y ajouter quelque chose du soleil et des étoiles fixes, à cause qu'elle en procède presque toute, des cieux, à cause qu'ils la transmettent, des pla-

nètes, des comètes et de la terre, à cause
qu'elles la font réfléchir, et en particulier de
tous les corps qui sont sur la terre, à cause
qu'ils sont ou colorés, ou transparents, ou lu-
mineux, et enfin de l'homme, à cause qu'il en
est le spectateur. Même, pour ombrager un
peu toutes ces choses, et pouvoir dire plus librement ce que j'en jugeais, sans être obligé
de suivre ni de réfuter les opinions qui sont
reçues entre les doctes, je me résolus de laisser tout ce monde ici à leurs disputes, et de
parler seulement de ce qui arriverait dans un
nouveau si Dieu créait maintenant quelque
part dans les espaces imaginaires assez de matière pour le composer, et qu'il agitât diversement et sans ordre les diverses parties de
cette matière, en sorte qu'il en composât un
chaos aussi confus que les poètes en puissent
feindre, et que par après il ne fît autre chose
que prêter son concours ordinaire à la nature,
et la laisser agir suivant les lois qu'il a établies. Ainsi premièrement je décrivis cette matière et tâchai de la représenter telle qu'il n'y
a rien au monde, ce me semble, de plus clair
ni plus intelligible, excepté ce qui a tantôt été
dit de Dieu et de l'âme : car même je suppo-
sai expressément qu'il n'y avait en elle aucune
de ces formes ou qualités dont on dispute
dans les écoles [15] ni généralement aucune
chose dont la connaissance ne fût si naturelle
à nos âmes qu'on ne pût pas même feindre de
l'ignorer. De plus je fis voir quelles étaient les
lois de la nature; et sans appuyer mes raisons

sur aucun autre principe que sur les perfections infinies de Dieu, je tâchai à démontrer
toutes celles dont on eût pu avoir quelque
doute, et à faire voir qu'elles sont telles
qu'encore que Dieu aurait créé plusieurs mondes, il n'y en saurait avoir aucun où elles
manquassent d'être observées. Après cela je
montrai comment la plus grande part de
la matière de ce chaos devait, en suite de
ces lois, se disposer et s'arranger d'une certaine façon qui la rendait semblable à nos
cieux; comment cependant quelques-unes de
ses parties devaient composer une terre, et
quelques-unes des planètes et des comètes, et
quelques autres un soleil et des étoiles fixes :
et ici m'étendant sur le sujet de la lumière,
j'expliquai bien au long quelle était celle qui
se devait trouver dans le soleil et les étoiles,
et comment de là elle traversait en un instant
les immenses espaces des cieux, et comment
elle se réfléchissait des planètes et des comètes vers la terre. J'y ajoutai aussi plusieurs
choses touchant la substance, la situation, les
mouvements et toutes les diverses qualités de
ces cieux et de ces astres; en sorte que je pensais en dire assez pour faire connaître qu'il
ne se remarque rien en ceux de ce monde qui
ne dût, ou du moins qui ne pût, paraître tout
semblable en ceux du monde que je décrivais.
De là je vins à parler particulièrement de la
terre : comment, encore que j'eusse expressément supposé que Dieu n'avait mis aucune
pesanteur en la matière dont elle était compo-

sée, toutes ses parties ne laissaient pas de tendre exactement vers son centre; comment, y
ayant de l'eau et de l'air sur sa superficie, la
disposition des cieux et des astres, principalement de la lune, y devait causer un flux et re-
flux qui fût semblable en toutes ses circonstances à celui qui se remarque dans nos
mers, et outre cela un certain cours tant de
l'eau que de l'air, du levant vers le couchant,
tel qu'on le remarque aussi entre les tropi-
ques; comment les montagnes, les mers, les
fontaines et les rivières pouvaient naturellement s'y former, et les métaux y venir dans
les mines, et les plantes y croître dans les
campagnes, et généralement tous les corps
qu'on nomme mêlés ou composés s'y engen-
drer. Et entre autres choses, à cause qu'après
les astres je ne connais rien au monde que le
feu qui produise de la lumière, je m'étudiai à
faire entendre bien clairement tout ce qui appartient à sa nature, comment il se fait, comment il se nourrit, comment il n'a quelquefois
que de la chaleur sans lumière et quelquefois
que de la lumière sans chaleur, comment il
peut introduire diverses couleurs en divers
corps, et diverses autres qualités, comment il
en fond quelques-uns et en durcit d'autres,
comment il les peut consumer presque tous,
ou convertir en cendres et en fumée; et enfin
comment de ces cendres par la seule violence
de son action il forme du verre : car, cette
transmutation de cendres en verre me semblant être aussi admirable qu'aucune autre

qui se fasse en la nature, je pris particulièrement plaisir à la décrire.

Toutefois je ne voulais pas inférer de toutes ces choses que ce monde ait été créé en la
façon que je proposais : car il est bien plus
vraisemblable que dès le commencement Dieu
l'a rendu tel qu'il devait être. Mais il est certain, et c'est une opinion communément reçue
entre les théologiens, que l'action par laquelle
maintenant il le conserve est toute la même
que celle par laquelle il l'a créé; de façon
qu'encore qu'il ne lui aurait point donné au
commencement d'autre forme que celle du
chaos, pourvu qu'ayant établi les lois de la
nature il lui prêtât son concours pour agir
ainsi qu'elle a de coutume, on peut croire,
sans faire tort au miracle de la création, que
par cela seul toutes les choses qui sont purement matérielles auraient pu avec le temps s'y
rendre telles que nous les voyons à présent;
et leur nature est bien plus aisée à concevoir
lorsqu'on les voit naître peu à peu en cette
sorte que lorsqu'on ne les considère que toutes faites.

De la description des corps inanimés et des
plantes, je passai à celle des animaux, et particulièrement à celle des hommes. Mais
pource que je n'en avais pas encore assez de
connaissance pour en parler du même style
que du reste, c'est-à-dire en démontrant les
effets par les causes, et faisant voir de quelles
semences et en quelle façon la nature les doit
produire, je me contentai de supposer que

Dieu formât le corps d'un homme entièrement semblable à l'un des nôtres, tant en la figure extérieure de ses membres qu'en la conformation intérieure de ses organes, sans le composer d'autre matière que de celle que j'avais décrite, et sans mettre en lui au commencement aucune âme raisonnable, ni aucune autre chose pour y servir d'âme végétante ou sensitive [16], sinon qu'il excitât en son cœur un de ces feux sans lumière que j'avais déjà expliqués, et que je ne concevais point d'autre nature que celui qui échauffe le foin lorsqu'on l'a renfermé avant qu'il fût sec, ou qui fait bouillir les vins nouveaux lorsqu'on les laisse cuver sur la rape *. Car, examinant les fonctions qui pouvaient en suite de cela être en ce corps, j'y trouvais exactement toutes celles qui peuvent être en nous sans que nous y pensions, ni par conséquent que notre âme, c'est-à-dire cette partie distincte du corps dont il a été dit ci-dessus que la nature n'est que de penser, y contribue, et qui sont toutes les mêmes, en quoi on peut dire que les animaux sans raison nous ressemblent : sans que j'y en pusse pour cela trouver aucune de celles qui, étant dépendantes de la pensée, sont les seules qui nous appartiennent en tant qu'hommes; au lieu que je les y trouvais toutes par après, ayant supposé que Dieu créât une âme raisonnable, et qu'il la joignît à ce corps en certaine façon que je décrivais.

---

* Grappe de raisins dont le jus a été exprimé.

Mais afin qu'on puisse voir en quelle sorte j'y traitais cette matière, je veux mettre ici l'explication du mouvement du cœur et des artères, qui étant le premier et le plus général qu'on observe dans les animaux, on jugera facilement de lui ce qu'on doit penser de tous les autres. Et afin qu'on ait moins de difficulté à entendre ce que j'en dirai, je voudrais que ceux qui ne sont point versés en l'anatomie prissent la peine, avant que de lire ceci, de faire couper devant eux le cœur de quelque grand animal qui ait des poumons car il est en tous assez semblable à celui de l'homme; et qu'ils se fissent montrer les deux chambres ou concavités * qui y sont. Premièrement celle qui est dans son côté droit, à laquelle répondent deux tuyaux fort larges; à savoir la veine cave, qui est le principal réceptacle du sang, et comme le tronc de l'arbre dont toutes les autres veines du corps sont les branches; et la veine artérieuse **, qui a été ainsi mal nommée pource que c'est en effet une artère, laquelle, prenant son origine du cœur, se divise, après en être sortie, en plusieurs branches qui se vont répandre partout dans les poumons. Puis celle qui est dans son côté gauche, à laquelle répondent en même façon deux tuyaux, qui sont autant ou plus larges que les précédents; à savoir l'artère veineuse ***, qui a été aussi mal nommée à cause

* Ventricules.
** L'artère pulmonaire.
*** Les veines pulmonaires.

qu'elle n'est autre chose qu'une veine, laquelle vient des poumons, où elle est divisée en plusieurs branches, entrelacées avec celles de la veine artérieuse, et celles de ce conduit qu'on nomme le sifflet * par où entre l'air de la respiration; et la grande artère **, qui, sortant du cœur, envoie ses branches par tout le corps. Je voudrais aussi qu'on leur montrât soigneusement les onze petites peaux ***, qui comme autant de petites portes ouvrent et ferment les quatre ouvertures qui sont en ces deux concavités : à savoir, trois à l'entrée de la veine cave, où elles sont tellement disposées qu'elles ne peuvent aucunement empêcher que le sang qu'elle contient ne coule dans la concavité droite du cœur, et toutefois empêchent exactement qu'il n'en puisse sortir; trois à l'entrée de la veine artérieuse, qui, étant disposées tout au contraire, permettent bien au sang qui est dans cette concavité de passer dans les poumons, mais non pas à celui qui est dans les poumons d'y retourner; et ainsi deux autres à l'entrée de l'artère veineuse, qui laissent couler le sang des poumons vers la concavité gauche du cœur, mais s'opposent à son retour; et trois à l'entrée de la grande artère, qui lui permettent de sortir du cœur, mais l'empêchent d'y retourner. Et il n'est point besoin de chercher d'autre raison du nombre de ces peaux, sinon que l'ou-

* La trachée artère.
** L'aorte.
*** Les valvules.

verture de l'artère veineuse, étant en ovale à cause du lieu où elle se rencontre, peut être commodément fermée avec deux, au lieu que les autres, étant rondes, le peuvent mieux être avec trois. De plus je voudrais qu'on leur fît considérer que la grande artère et la veine artérieuse sont d'une composition beaucoup plus dure et plus ferme que ne sont l'artère veineuse et la veine cave; et que ces deux dernières s'élargissent avant que d'entrer dans le cœur, et y font comme deux bourses, nommées les oreilles du cœur *, qui sont composées d'une chair semblable à la sienne; et qu'il y a toujours plus de chaleur dans le cœur qu'en aucun autre endroit du corps; et enfin que cette chaleur est capable de faire que, s'il entre quelque goutte de sang en ses concavités, elle s'enfle promptement et se dilate, ainsi que font généralement toutes les liqueurs, lorsqu'on les laisse tomber goutte à goutte en quelque vaisseau ** qui est fort chaud.

Car après cela je n'ai besoin de dire autre chose pour expliquer le mouvement du cœur, sinon que lorsque ses concavités ne sont pas pleines de sang, il y en coule nécessairement de la veine cave dans la droite, et de l'artère veineuse dans la gauche : d'autant que ces deux vaisseaux en sont toujours pleins, et que leurs ouvertures, qui regardent vers le cœur,

* Les oreillettes.
** Récipient.

ne peuvent alors être bouchées; mais que sitôt qu'il est entré ainsi deux gouttes de sang, une en chacune de ses concavités, ces gouttes, qui ne peuvent être que fort grosses, à cause que les ouvertures par où elles entrent sont fort larges, et les vaisseaux d'où elles viennent fort pleins de sang, se raréfient et se dilatent, à cause de la chaleur qu'elles y trouvent, au moyen de quoi, faisant enfler tout le cœur, elles poussent et ferment les cinq petites portes qui sont aux entrées des deux vaisseaux d'où elles viennent, empêchant ainsi qu'il ne descende davantage de sang dans le cœur; et continuant à se raréfier de plus en plus, elles poussent et ouvrent les six autres petites portes qui sont aux entrées des deux autres vaisseaux par où elles sortent, faisant enfler par ce moyen toutes les branches de la veine artérieuse et de la grande artère, quasi au même instant que le cœur, lequel incontinent après se désenfle, comme font aussi ces artères, à cause que le sang qui y est entré s'y refroidit, et leurs six petites portes se referment, et les cinq de la veine cave et de l'artère veineuse se rouvrent, et donnent passage à deux autres gouttes de sang, qui font derechef enfler le cœur et les artères, tout de même que les précédentes. Et pource que le sang qui entre ainsi dans le cœur passe par ces deux bourses qu'on nomme ses oreilles, de là vient que leur mouvement est contraire au sien, et qu'elles se désenflent lorsqu'il s'enfle. Au reste, afin que ceux qui ne connaissent pas la force des démonstrations mathématiques *, et ne sont pas accoutumés à distinguer les vraies raisons des vraisemblables, ne se hasardent pas de nier ceci sans l'examiner, je les veux avertir que ce mouvement que je viens d'expliquer suit aussi nécessairement de la seule disposition des organes qu'on peut voir à l'œil dans le cœur, et de la chaleur qu'on y peut sentir avec les doigts, et de la nature du sang qu'on peut connaître par expérience, que fait celui d'une horloge, de la force, de la situation et de la figure de ses contrepoids et de ses roues.

Mais si on demande comment le sang des veines ne s'épuise point en coulant ainsi continuellement dans le cœur, et comment les artères n'en sont point trop remplies, puisque tout celui qui passe par le cœur s'y va rendre, je n'ai pas besoin d'y répondre autre chose que ce qui a déjà été écrit par un médecin d'Angleterre [17] auquel il faut donner la louange d'avoir rompu la glace en cet endroit, et d'être le premier qui a enseigné qu'il y a plusieurs petits passages aux extrémités des artères par où le sang qu'elles reçoivent du cœur entre dans les petites branches des veines, d'où il va se rendre derechef vers le cœur, en sorte que son cours n'est autre chose qu'une circulation perpétuelle. Ce qu'il prouve fort bien par l'expérience ordinaire des chirurgiens, qui, ayant lié le bras médiocrement fort

---

* Démonstration rigoureuse, dont il est impossible de nier la conclusion si l'on admet le point de départ.

au-dessus de l'endroit où ils ouvrent la veine,
font que le sang en sort plus abondamment
que s'ils ne l'avaient point lié : et il arriverait
tout le contraire s'ils le liaient au-dessous entre la main et l'ouverture, ou bien qu'ils le
liassent très fort au-dessus. Car il est manifeste que le lien médiocrement serré, pouvant
empêcher que le sang qui est déjà dans le
bras ne retourne vers le cœur par les veines,
n'empêche pas pour cela qu'il n'y en vienne
toujours de nouveau par les artères; à cause
qu'elles sont situées au-dessous des veines; et
que leurs peaux, étant plus dures, sont moins
aisées à presser, et aussi que le sang qui vient
du cœur tend avec plus de force à passer par
elles vers la main qu'il ne fait à retourner de
là vers le cœur par les veines; et puisque ce
sang sort du bras par l'ouverture qui est en
l'une des veines, il doit nécessairement y
avoir quelques passages au-dessous du lien,
c'est-à-dire vers les extrémités du bras, par où
il y puisse venir des artères. Il prouve aussi
fort bien ce qu'il dit du cours du sang par
certaines petites peaux, qui sont tellement
disposées en divers lieux le long des veines
qu'elles ne lui permettent point d'y passer du
milieu du corps vers les extrémités, mais seulement de retourner des extrémités vers le
cœur; et de plus par l'expérience qui montre
que tout celui qui est dans le corps en peut
sortir en fort peu de temps par une seule artère lorsqu'elle est coupée, encore même
qu'elle fut étroitement liée fort proche du

cœur, et coupée entre lui et le lien, en sorte qu'on n'eût aucun sujet d'imaginer que le sang qui en sortirait vînt d'ailleurs.

Mais il y a plusieurs autres choses qui témoignent que la vraie cause de ce mouvement du sang est celle que j'ai dite. Comme premièrement la différence qu'on remarque entre celui qui sort des veines et celui qui sort des artères ne peut procéder que de ce qu'étant raréfié et comme distillé, en passant par le cœur, il est plus subtil et plus vif et plus chaud incontinent après en être sorti, c'est-à-dire étant dans les artères, qu'il n'est un peu devant que d'y entrer, c'est-à-dire étant dans les veines : et si on y prend garde, on trouvera que cette différence ne paraît bien que vers le cœur, et non point tant aux lieux qui en sont les plus éloignés. Puis la dureté des peaux dont la veine artérieuse et la grande artère sont composées montre assez que le sang bat contre elles avec plus de force que contre les veines. Et pourquoi la concavité gauche du cœur et la grande artère seraient-elles plus amples et plus larges que la concavité droite et la veine artérieuse, si ce n'était que le sang de l'artère veineuse, n'ayant été que dans les poumons depuis qu'il a passé par le cœur, est plus subtil, et se raréfie plus fort et plus aisément, que celui qui vient immédiatement de la veine cave ? Et qu'est-ce que les médecins peuvent deviner en tâtant le pouls, s'ils ne savent que, selon que le sang change de nature, il peut être raréfié par la chaleur du cœur plus ou moins fort et plus ou moins vite qu'auparavant ? Et si on examine comment cette chaleur se communique aux autres membres, ne faut-il pas avouer que c'est par le moyen du sang, qui, passant par le cœur, s'y réchauffe, et se répand de là par tout le corps ? D'où vient que si on ôte le sang de quelque partie, on en ôte par même moyen la chaleur; et encore que le cœur fût aussi ardent qu'un fer embrasé, il ne suffirait pas pour réchauffer les pieds et les mains tant qu'il fait, s'il n'y envoyait continuellement de nouveau sang. Puis aussi on connaît de là que le vrai usage de la respiration est d'apporter assez d'air frais dans le poumon pour faire que le sang, qui y vient de la concavité droite du cœur, où il a été raréfié et comme changé en vapeurs, s'y épaississe et convertisse en sang derechef, avant que de retomber dans la gauche, sans quoi il ne pourrait être propre à servir de nourriture au feu qui y est. Ce qui se confirme parce qu'on voit que les animaux qui n'ont point de poumons n'ont aussi qu'une seule concavité dans le cœur et que les enfants, qui n'en peuvent user pendant qu'ils sont renfermés au ventre de leurs mères, ont une ouverture par où il coule du sang de la veine cave en la concavité gauche du cœur, et un conduit par où il en vient de la veine artérieuse en la grande artère, sans passer par le poumon. Puis la coction *,

---

* Digestion.

comment se ferait-elle en l'estomac, si le cœur
n'y envoyait de la chaleur par les artères, et
avec cela quelques-unes des plus coulantes
parties du sang qui aident à dissoudre les
viandes * qu'on y a mises ? Et l'action qui
convertit le suc de ces viandes en sang n'est-
elle pas aisée à connaître si on considère qu'il
se distille, en passant et repassant par le
cœur, peut-être plus de cent ou deux cents
fois en chaque jour ? Et qu'a-t-on besoin d'autre chose pour expliquer la nutrition, et la
production des diverses humeurs qui sont
dans le corps, sinon de dire que la force dont
le sang en se raréfiant passe du cœur vers les
extrémités des artères fait que quelques-unes
de ses parties s'arrêtent entre celles des membres où elles se trouvent, et y prennent la
place de quelques autres qu'elles en chassent;
et que selon la situation, ou la figure, ou la
petitesse des pores qu'elles rencontrent, les
unes se vont rendre en certains lieux plutôt
que les autres, en même façon que chacun
peut avoir vu divers cribles qui, étant diversement percés, servent à séparer divers grains
les uns des autres ? Et enfin ce qu'il y a de
plus remarquable en tout ceci, c'est la génération des esprits animaux, qui sont comme un
vent très subtil, ou plutôt comme une flamme
très pure et très vive, qui, montant continuellement en grande abondance du cœur dans le
cerveau, se va rendre de là par les nerfs dans

* Aliments.

les muscles, et donne le mouvement à tous les membres : sans qu'il faille imaginer d'autre cause qui fasse que les parties du sang qui, étant plus agitées et les plus pénétrantes, sont les plus propres à composer ces esprits, se vont rendre plutôt vers le cerveau que vers ailleurs, sinon que les artères qui les y portent sont celles qui viennent du cœur le plus en ligne droite de toutes, et que, selon les règles des mécaniques *, qui sont les mêmes que celles de la nature, lorsque plusieurs choses tendent ensemble à se mouvoir vers un même côté où il n'y a pas assez de place pour toutes, ainsi que les parties du sang qui sortent de la concavité gauche du cœur tendent vers le cerveau, les plus faibles et moins agitées en doivent être détournées par les plus fortes, qui par ce moyen s'y vont rendre seules.

J'avais expliqué assez particulièrement toutes ces choses dans le traité que j'avais eu ci-devant dessein de publier. Et ensuite, j'y avais montré quelle doit être la fabrique ** des nerfs et des muscles du corps humain, pour faire que les esprits animaux, étant dedans, aient la force de mouvoir ses membres : ainsi qu'on voit que les têtes, un peu après être coupées, se remuent encore, et mordent la terre, nonobstant qu'elles ne soient plus animées; quels changements se doivent faire dans le cerveau pour causer la veille, et le

* De la théorie des machines.
** Structure.

sommeil et les songes; comment la lumière, les sons, les odeurs, les goûts, la chaleur, et toutes les autres qualités des objets extérieurs y peuvent imprimer diverses idées, par l'entremise des sens; comment la faim, la soif, et les autres passions intérieures, y peuvent aussi envoyer les leurs; ce qui doit y être pris pour le sens commun, où ces idées sont reçues; pour la mémoire qui les conserve; et pour la fantaisie [18], qui les peut diversement changer, et en composer de nouvelles, et par même moyen, distribuant les esprits animaux dans les muscles, faire mouvoir les membres de ce corps, en autant de diverses façons, et autant à propos des objets qui se présentent à ses sens, et des passions intérieures qui sont en lui, que les nôtres se puissent mouvoir sans que la volonté les conduise. Ce qui ne semblera nullement étrange à ceux qui, sachant combien de divers *automates*, ou machines mouvantes, l'industrie des hommes peut faire, sans y employer que fort peu de pièces, à comparaison de la grande multitude des os, des muscles, des nerfs, des artères, des veines, et de toutes les autres parties qui sont dans le corps de chaque animal, considéreront ce corps comme une machine qui, ayant été faite des mains de Dieu, est incomparablement mieux ordonnée, et a en soi des mouvements plus admirables, qu'aucune de celles qui peuvent être inventées par les hommes.

Et je m'étais ici particulièrement arrêté à faire voir que, s'il y avait de telles machines qui eussent les organes et la figure d'un singe ou de quelque autre animal sans raison, nous n'aurions aucun moyen pour reconnaître qu'elles ne seraient pas en tout de même nature que ces animaux : au lieu que s'il y en avait qui eussent la ressemblance de nos corps, et imitassent autant nos actions que moralement * il serait possible, nous aurions toujours deux moyens très certains pour reconnaître qu'elles ne seraient point pour cela de vrais hommes. Dont le premier est que jamais elles ne pourraient user de paroles ni d'autres signes en les composant, comme nous faisons pour déclarer aux autres nos pensées. Car on peut bien concevoir qu'une machine soit tellement faite qu'elle profère des paroles, et même qu'elle en profère quelques-unes à propos des paroles, et même qu'elle en profère quelques-unes à propos des actions corporelles qui causeront quelque changement en ses organes : comme si on la touche en quelque endroit, qu'elle demande ce qu'on lui veut dire; si en un autre, qu'elle crie qu'on lui fait mal, et choses semblables : mais non pas qu'elle les arrange diversement, pour répondre au sens de tout ce qui se dira en sa présence, ainsi que les hommes les plus hébétés peuvent faire. Et le second est que, bien qu'elles fissent plusieurs choses aussi bien, ou peut-être mieux, qu'aucun de nous, elles manqueraient infailliblement en quelques autres,

* Pratiquement.

par lesquelles on découvrirait qu'elles n'agiraient pas par connaissance, mais seulement par la disposition de leurs organes : car au lieu que la raison est un instrument universel, qui peut servir en toutes sortes de rencontres, ces organes ont besoin de quelque particulière disposition pour chaque action particulière : d'où vient qu'il est moralement impossible * qu'il y en ait assez de divers en une machine pour la faire agir en toutes les occurrences de la vie de même façon que notre raison nous fait agir.

Or par ces deux mêmes moyens on peut aussi connaître la différence qui est entre les hommes et les bêtes. Car c'est une chose bien remarquable, qu'il n'y a point d'hommes si hébétés et si stupides, sans en excepter même les insensés, qu'ils ne soient capables d'arranger ensemble divers paroles, et d'en composer un discours par lequel ils fassent entendre leurs pensées; et qu'au contraire, il n'y a point d'autre animal, tant parfait et tant heureusement né qu'il puisse être, qui fasse le semblable. Ce qui n'arrive pas de ce qu'ils ont faute d'organes, car on voit que les pies et les perroquets peuvent proférer des paroles ainsi que nous, et toutefois ne peuvent parler ainsi que nous, c'est-à-dire en témoignant qu'ils pensent ce qu'ils disent : au lieu que les hommes qui, étant nés sourds et muets, sont privés des organes qui servent aux autres pour parler, autant ou plus que les

---

* Pratiquement impossible.

bêtes, ont coutume d'inventer d'eux-mêmes
quelques signes par lesquels ils se font entendre à ceux qui, étant ordinairement avec eux,
ont loisir d'apprendre leur langue. Et ceci ne
témoigne pas seulement que les bêtes ont
moins de raison que les hommes, mais qu'elles n'en ont point du tout : car on voit qu'il
n'en faut que fort peu pour savoir parler, et
d'autant qu'on remarque de l'inégalité entre
les animaux d'une même espèce, aussi bien
qu'entre les hommes, et que les uns sont plus
aisés à dresser que les autres, il n'est pas
croyable qu'un singe ou un perroquet qui serait des plus parfaits de son espèce n'égalât
en cela un enfant des plus stupides, ou du
moins un enfant qui aurait le cerveau troublé,
si leur âme n'était d'une nature du tout *
différente de la nôtre. Et on ne doit pas confondre les paroles avec les mouvements natu-
rels qui témoignent les passions, et peuvent
être imités par des machines aussi bien que
par les animaux, ni penser, comme quelques
anciens, que les bêtes parlent, bien que nous
n'entendions pas leur langage : car s'il était
vrai, puisqu'elles ont plusieurs organes qui se
rapportent aux nôtres, elles pourraient aussi
bien se faire entendre à nous qu'à leurs semblables. C'est aussi une chose fort remarquable que, bien qu'il y ait plusieurs animaux
qui témoignent plus d'industrie ** que nous en

* Entièrement.
** Adresse.

quelques-unes de leurs actions, on voit toutefois que les mêmes n'en témoignent point du tout en beaucoup d'autres : de façon que ce qu'ils font mieux que nous ne prouve pas qu'ils ont de l'esprit, car à ce compte ils en auraient plus qu'aucun de nous, et feraient mieux en toute autre chose; mais plutôt qu'ils n'en ont point, et que c'est la nature qui agit en eux selon la disposition de leurs organes : ainsi qu'on voit qu'une horloge, qui n'est composée que de roues et de ressorts, peut compter les heures et mesurer le temps plus justement que nous avec toute notre prudence.

J'avais décrit après cela l'âme raisonnable, et fait voir qu'elle ne peut aucunement être tirée de la puissance de la matière, ainsi que les autres choses dont j'avais parlé, mais qu'elle doit expressément être créée; et comment il ne suffit pas qu'elle soit logée dans le corps humain ainsi qu'un pilote en son navire, sinon peut-être pour mouvoir ses membres, mais qu'il est besoin qu'elle soit jointe et unie plus étroitement avec lui pour avoir, outre cela, des sentiments et des appétits semblables aux nôtres, et ainsi composer un vrai homme. Au reste, je me suis ici un peu étendu sur le sujet de l'âme, à cause qu'il est des plus importants : car après l'erreur de ceux qui nient Dieu, laquelle je pense avoir ci-dessus assez réfutée, il n'y en a point qui éloigne plutôt les esprits faibles du droit chemin de la vertu, que d'imaginer que l'âme des bêtes soit de même nature que la nôtre, et que par conséquent nous n'avons rien à craindre, ni à espérer, après cette vie, non plus que les mouches et les fourmis : au lieu que lorsqu'on sait combien elles diffèrent, on comprend beaucoup mieux les raisons qui prouvent que la nôtre est d'une nature entièrement indépendante du corps, et par conséquent qu'elle n'est point sujette à mourir avec lui : puis d'autant qu'on ne voit point d'autres causes qui la détruisent, on est naturellement porté à juger de là qu'elle est immortelle.

SIXIÈME PARTIE

Or il y a maintenant trois ans [14] que j'étais parvenu à la fin du traité qui contient toutes ces choses, et que je commençais à le revoir afin de le mettre entre les mains d'un imprimeur, lorsque j'appris que des personnes à qui je défère, et dont l'autorité ne peut guère moins sur mes actions que ma propre raison sur mes pensées, avaient désapprouvé une opinion de physique publié un peu auparavant par quelque autre, de laquelle je ne veux pas dire que je fusse, mais bien que je n'y avais rien remarqué, avant leur censure, que je pusse imaginer être préjudiciable ni à la religion ni à l'Etat, ni par conséquent qui m'eût empêché de l'écrire si la raison me l'eût persuadée; et que cela me fit craindre qu'il ne s'en trouvât tout de même quelqu'une entre les miennes en laquelle je me fusse mépris, nonobstant le grand soin que j'ai toujours eu de n'en point recevoir de nouvelles en ma créance dont je n'eusse des démonstrations très certaines, et de n'en point écrire qui pussent tourner au désavantage de personne. Ce qui a été suffisant pour m'obliger à changer la résolution que j'avais eue de les publier. Car encore que les raisons pour lesquelles je l'avais prise auparavant fussent très fortes, mon inclination, qui m'a toujours fait haïr le métier de faire des livres, m'en fit incontinent trouver assez d'autres pour m'en excuser. Et ces raisons de part et d'autre sont telles, que non seulement j'ai ici quelque intérêt de les dire, mais peut-être aussi que le public en a de les savoir.

Je n'ai jamais fait beaucoup d'état des choses qui venaient de mon esprit, et pendant que je n'ai recueilli d'autres fruits de la méthode dont je me sers sinon que je me suis satisfait touchant quelques difficultés qui appartiennent aux sciences spéculatives, ou bien que j'ai tâché de régler mes mœurs par les raisons qu'elle m'enseignait, je n'ai point cru être obligé d'en rien écrire. Car pour ce qui touche les mœurs, chacun abonde si fort en son sens qu'il se pourrait trouver autant de réformateurs que de têtes s'il était permis à d'autres qu'à ceux que Dieu a établis pour souverains sur ses peuples, ou bien auxquels il a donné assez de grâce et de zèle pour être prophètes, d'entreprendre d'y rien changer; et bien que mes spéculations me plussent fort, j'ai cru que les autres en avaient aussi, qui leur plaisaient peut-être davantage. Mais sitôt que j'ai eu acquis quelques notions générales touchant la physique, et que, commençant à les éprouver en diverses difficultés particuliè-

res, j'ai remarqué jusques où elles peuvent
conduire, et combien elles diffèrent des principes dont on s'est servi jusques à présent,
j'ai cru que je ne pouvais les tenir cachées
sans pécher grandement contre la loi qui
nous oblige à procurer, autant qu'il est en
nous, le bien général de tous les hommes :
car elles m'ont fait voir qu'il est possible de
parvenir à des connaissances qui soient fort
utiles à la vie, et qu'au lieu de cette philosophie spéculative qu'on enseigne dans les écoles, on en peut trouver une pratique par laquelle, connaissant la force et les actions du
feu, de l'eau, de l'air, des astres, des cieux, et
de tous les autres corps qui nous environ-
nent, aussi distinctement que nous connaissons les divers métiers de nos artisans, nous
les pourrions employer en même façon à tous
les usages auxquels ils sont propres, et ainsi
nous rendre comme maîtres et possesseurs de
la nature. Ce qui n'est pas seulement à désirer pour l'invention d'une infinité d'artifices
qui feraient qu'on jouirait sans aucune peine
des fruits de la terre et de toutes les commodités qui s'y trouvent, mais principalement
aussi pour la conservation de la santé, laquelle est sans doute le premier bien, et le
fondement de tous les autres biens de cette
vie : car même l'esprit dépend si fort du tem-
pérament, et de la disposition des organes du
corps, que, s'il est possible de trouver quelque moyen qui rende communément les hommes plus sages et plus habiles qu'ils n'ont été

jusques ici, je crois que c'est dans la médecine qu'on doit le chercher. Il est vrai que
celle qui est maintenant en usage contient
peu de choses dont l'utilité soit si remarquable : mais sans que j'aie aucun dessein de la
mépriser, je m'assure qu'il n'y a personne,
même de ceux qui en font profession, qui
n'avoue que tout ce qu'on y sait n'est presque
rien à comparaison de ce qui reste à y savoir;
et qu'on se pourrait exempter d'une infinité
de maladies, tant du corps que de l'esprit, et
même aussi peut-être de l'affaiblissement de
la vieillesse, si on avait assez de connaissance
de leurs causes, et de tous les remèdes dont
la nature nous a pourvus. Or, ayant dessein
d'employer toute ma vie à la recherche d'une
science si nécessaire, et ayant rencontré un
chemin qui me semble tel qu'on doit infailliblement la trouver en le suivant, si ce n'est
qu'on en soit empêché, ou par la brièveté de
la vie, ou par le défaut des expériences, je jugeais qu'il n'y avait point de meilleur remède
contre ces deux empêchements que de communiquer fidèlement au public tout le peu
que j'aurais trouvé, et de convier les bons esprits à tâcher de passer plus outre, en contri-
buant, chacun selon son inclination et son
pouvoir, aux expériences qu'il faudrait faire,
et communiquant aussi au public toutes les
choses qu'ils apprendraient, afin que les derniers commençant où les précédents auraient
achevé, et ainsi joignant les vies et les travaux
de plusieurs, nous allassions tous ensemble

beaucoup plus loin que chacun en particulier ne saurait faire.

Même je remarquais, touchant les expériences, qu'elles sont d'autant plus nécessaires qu'on est plus avancé en connaissance. Car, pour le commencement, il vaut mieux ne se servir que de celles qui se présentent d'elles-mêmes à nos sens, et que nous ne saurions ignorer pourvu que nous y fassions tant soit peu de réflexion, que d'en chercher de plus rares et étudiées : dont la raison est que ces plus rares trompent souvent, lorsqu'on ne sait pas encore les causes des plus communes; et que les circonstances dont elles dépendent sont quasi toujours si particulières, et si petites, qu'il est très malaisé de les remarquer. Mais l'ordre que j'ai tenu en ceci a été tel. Premièrement j'ai tâché de trouver en général les principes ou premières causes de tout ce qui est ou qui peut être dans le monde, sans rien considérer pour cet effet que Dieu seul qui l'a créé, ni les tirer d'ailleurs que de certaines semences de vérités qui sont naturellement en nos âmes. Après cela j'ai examiné quels étaient les premiers et plus ordinaires effets qu'on pouvait déduire de ces causes; et il me semble que par là j'ai trouvé des cieux, des astres, une terre, et même sur la terre de l'eau, de l'air, du feu, des minéraux, et quelques autres telles choses, qui sont les plus communes de toutes, et les plus simples, et par conséquent les plus aisées à connaître. Puis, lorsque j'ai voulu descendre à

celles qui étaient plus particulières, il s'en est
tant présenté à moi de diverses que je n'ai
pas cru qu'il fût possible à l'esprit humain de
distinguer les formes ou espèces de corps qui
sont sur la terre d'une infinité d'autres qui
pourraient y être si c'eût été le vouloir de
Dieu de les y mettre; ni par conséquent de les
rapporter à notre usage, si ce n'est qu'on
vienne au-devant des causes par les effets, et
qu'on se serve de plusieurs expériences particulières. En suite de quoi repassant mon esprit sur tous les objets qui s'étaient jamais
présentés à mes sens, j'ose bien dire que je
n'y ai remarqué aucune chose que je ne pusse
assez commodément expliquer par les principes que j'avais trouvés : mais il faut aussi que
j'avoue que la puissance de la nature est si
ample et si vaste, et que ces principes sont si
simples et si généraux, que je ne remarque
quasi plus aucun effet particulier que d'abord
je ne connaisse qu'il peut en être déduit en
plusieurs diverses façons; et que ma plus
grande difficulté est d'ordinaire de trouver en
laquelle de ces façons il en dépend, car à cela
je ne sais point d'autre expédient que de
chercher derechef quelques expériences, qui
soient telles que leur événement * ne soit pas
le même si c'est en l'une de ces façons qu'on
doit l'expliquer, que si c'est en l'autre. Au
reste j'en suis maintenant là, que je vois, ce
me semble, assez bien de quel biais on se doit

* **Résultat.**

prendre à faire la plupart de celles qui peuvent servir à cet effet; mais je vois aussi qu'elles sont telles et en si grand nombre que ni mes mains, ni mon revenu, bien que j'en eusse mille fois plus que je n'en ai, ne sauraient suffire pour toutes : en sorte que selon que j'aurai désormais la commodité d'en faire plus ou moins, j'avancerai aussi plus ou moins en la connaissance de la nature. Ce que je me promettais de faire connaître par le traité que j'avais écrit, et d'y montrer si clairement l'utilité que le public en peut recevoir que j'obligerais tous ceux qui désirent en général le bien des hommes, c'est-à-dire tous ceux qui sont en effet vertueux, et non point par faux semblant, ni seulement par opinion, tant à me communiquer celles qu'ils ont déjà faites qu'à m'aider en la recherche de celles qui restent à faire.

Mais j'ai eu depuis ce temps-là d'autres raisons qui m'ont fait changer d'opinion, et penser que je devais véritablement continuer d'écrire toutes les choses que je jugerais de quelque importance, à mesure que j'en découvrirais la vérité, et y apporter le même soin que si je les voulais faire imprimer : tant afin d'avoir d'autant plus d'occasion de les bien examiner — comme sans doute on regarde toujours de plus près à ce qu'on croit devoir être vu par plusieurs qu'à ce qu'on ne fait que pour soi-même, et souvent les choses qui m'ont semblé vraies lorsque j'ai commencé à les concevoir m'ont paru fausses lorsque je

les ai voulu mettre sur le papier — qu'afin de
ne perdre aucune occasion de profiter * au
public si j'en suis capable, et que, si mes
écrits valent quelque chose, ceux qui les auront après ma mort en puissent user ainsi
qu'il sera le plus à propos; mais que je ne devais aucunement consentir qu'ils fussent publiés pendant ma vie, afin que ni les oppositions et controverses auxquelles ils seraient
peut-être sujets ni même la réputation telle
quelle ** qu'ils me pourraient acquérir ne me
donnassent aucune occasion de perdre le
temps que j'ai dessein d'employer à m'instruire. Car bien qu'il soit vrai que chaque
homme est obligé de procurer, autant qu'il
est en lui, le bien des autres, et que c'est proprement ne valoir rien que de n'être utile à
personne, toutefois il est vrai aussi que nos
soins se doivent étendre plus loin que le
temps présent, et qu'il est bon d'omettre les
choses qui apporteraient peut-être quelque
profit à ceux qui vivent lorsque c'est à dessein d'en faire d'autres qui en apportent davantage à nos neveux ***. Comme en effet je
veux bien qu'on sache que le peu que j'ai appris jusqu'ici n'est presque rien à comparaison de ce que j'ignore, et que je ne désespère
pas de pouvoir apprendre : car c'est quasi le
même de ceux qui découvrent peu à peu la
vérité dans les sciences que de ceux qui, com-

* Rendre service.
** Quelle qu'elle puisse être.
*** Nos descendants, la postérité.

mençant à devenir riches, ont moins de peine à faire de grandes acquisitions qu'ils n'ont eu auparavant, étant plus pauvres, à en faire de beaucoup moindres. Ou bien on peut les comparer aux chefs d'armée, dont les forces ont coutume de croître à proportion de leurs victoires, et qui ont besoin de plus de conduite * pour se maintenir après la perte d'une bataille qu'ils n'ont, après l'avoir gagnée, à prendre des villes et des provinces. Car c'est véritablement donner des batailles que de tâcher à vaincre toutes les difficultés et les erreurs qui nous empêchent de parvenir à la connaissance de la vérité; et c'est en perdre une que de recevoir quelque fausse opinion touchant une matière un peu générale et importante : il faut, après, beaucoup plus d'adresse pour se remettre au même état qu'on était auparavant qu'il ne faut à faire de grands progrès lorsqu'on a déjà des principes qui sont assurés. Pour moi, si j'ai ci-devant trouvé quelques vérités dans les sciences (et j'espère que les choses qui sont contenues en ce volume feront juger que j'en ai trouvé quelques-unes), je puis dire que ce ne sont que des suites et des dépendances de cinq ou six principales difficultés que j'ai surmontées, et que je compte pour autant de batailles où j'ai eu l'heur de mon côté : même je ne craindrai pas de dire que je pense n'avoir plus besoin d'en gagner que deux ou trois autres

* Prudence.

semblables pour venir entièrement à bout de mes desseins; et que mon âge n'est point si avancé que, selon le cours ordinaire de la nature, je ne puisse encore avoir assez de loisir pour cet effet. Mais je crois être d'autant plus obligé à ménager le temps qui me reste que j'ai plus d'espérance de le pouvoir bien employer; et j'aurais sans doute plusieurs occasions de le perdre si je publiais les fondements de ma physique. Car, encore qu'ils soient presque tous si évidents qu'il ne faut que les entendre pour les croire, et qu'il n'y en ait aucun dont je ne pense pouvoir donner des démonstrations, toutefois, à cause qu'il est impossible qu'ils soient accordants avec toutes les diverses opinions des autres hommes, je prévois que je serais souvent diverti par les oppositions qu'ils feraient naître.

On peut dire que ces oppositions seraient utiles, tant afin de me faire connaître mes fautes qu'afin que, si j'avais quelque chose de bon, les autres en eussent par ce moyen plus d'intelligence et, comme plusieurs peuvent plus voir qu'un homme seul, que, commençant dès maintenant à s'en servir, ils m'aidassent aussi de leurs inventions. Mais encore que je me reconnaisse extrêmement sujet à faillir, et que je ne me fie quasi jamais aux premières pensées qui me viennent, toutefois l'expérience que j'ai des objections qu'on me peut faire m'empêche d'en espérer aucun profit : car j'ai déjà souvent éprouvé les jugements tant de ceux que j'ai tenus pour mes

amis que de quelques autres à qui je pensais
être indifférent, et même aussi de quelques-
uns dont je savais que la malignité et l'envie
tâcheraient assez à découvrir ce que l'affection cacherait à mes amis; mais il est rare-
ment arrivé qu'on m'ait objecté quelque
chose que je n'eusse point du tout prévue, si
ce n'est qu'elle fût fort éloignée de mon sujet : en sorte que je n'ai quasi jamais rencontré aucun censeur de mes opinions qui ne me
semblât ou moins rigoureux ou moins équita-
ble que moi-même. Et je n'ai jamais remarqué non plus que par le moyen des disputes *
qui se pratiquent dans les écoles on ait découvert aucune vérité qu'on ignorât auparavant. Car pendant que chacun tâche de vaincre, on s'exerce bien plus à faire valoir la
vraisemblance qu'à peser les raisons de part
et d'autre : et ceux qui ont été longtemps
bons avocats ne sont pas pour cela par après
meilleurs juges.

Pour l'utilité que les autres recevraient de
la communication de mes pensées, elle ne
pourrait aussi être fort grande, d'autant que
je ne les ai point encore conduites si loin
qu'il ne soit besoin d'y ajouter beaucoup de
choses avant que de les appliquer à l'usage.
Et je pense pouvoir dire sans vanité que s'il y
a quelqu'un qui en soit capable, ce doit être
plutôt moi qu'aucun autre : non pas qu'il ne
puisse y avoir au monde plusieurs esprits in-

* Conférences publiques suivies de débat.

comparablement meilleurs que le mien; mais pource qu'on ne saurait si bien concevoir une chose, et la rendre sienne, lorsqu'on l'apprend de quelque autre que lorsqu'on l'invente soi-même. Ce qui est si véritable en cette matière que, bien que j'aie souvent expliqué quelques-unes de mes opinions à des personnes de très bon esprit, et qui pendant que je leur parlais semblaient les entendre fort distinctement, toutefois, lorsqu'ils les ont redites, j'ai remarqué qu'ils les ont changées presque toujours en telle sorte que je ne les pouvais plus avouer pour miennes. A l'occasion de quoi je suis bien aise de prier ici nos neveux * de ne croire jamais que les choses qu'on leur dira viennent de moi lorsque je ne les aurai point moi-même divulguées : et je ne m'étonne aucunement des extravagances qu'on attribue à tous ces anciens philosophes dont nous n'avons point les écrits, ni ne juge pas pour cela que leurs pensées aient été fort déraisonnables, vu qu'ils étaient des meilleurs esprits de leurs temps, mais seulement qu'on nous les a mal rapportées. Comme on voit aussi que presque jamais il n'est arrivé qu'aucun de leurs sectateurs les ait surpassés : et je m'assure que les plus passionnés de ceux qui suivent maintenant Aristote se croiraient heureux s'ils avaient autant de connaissance de la nature qu'il en a eu, encore même que ce fût à condition qu'ils n'en auraient jamais

* Nos descendants, la postérité.

davantage. Ils sont comme le lierre, qui ne tend point à monter plus haut que les arbres qui le soutiennent, et même souvent qui redescend après qu'il est parvenu jusques à leur faîte : car il me semble aussi que ceux-là redescendent, c'est-à-dire se rendent en quelque façon moins savants que s'ils s'abstenaient d'étudier, lesquels, non contents de savoir tout ce qui est intelligiblement expliqué dans leur auteur, veulent outre cela y trouver la solution de plusieurs difficultés dont il ne dit rien, et auxquelles il n'a peut-être jamais pensé. Toutefois leur façon de philosopher est fort commode, pour ceux qui n'ont que des esprits fort médiocres; car l'obscurité des distinctions et des principes dont ils se servent est cause qu'ils peuvent parler de toutes choses aussi hardiment que s'ils les savaient, en soutenir tout ce qu'ils en disent contre les plus subtils et les plus habiles, sans qu'on ait moyen de les convaincre : en quoi ils me semblent pareils à un aveugle, qui, pour se battre sans désavantage contre un qui voit, l'aurait fait venir dans le fond de quelque cave fort obscure; et je puis dire que ceux-ci ont intérêt que je m'abstienne de publier les principes de la philosophie dont je me sers, car étant très simples et très évidents, comme ils sont, je ferais quasi le même en les publiant que si j'ouvrais quelques fenêtres, et faisais entrer du jour dans cette cave où ils sont descendus pour se battre. Mais même les meilleurs esprits n'ont pas occasion de souhaiter de les connaître : car s'ils veulent savoir parler de toutes choses, et acquérir la réputation d'être doctes, ils y parviendront plus aisément en se contentant de la vraisemblance, qui peut être trouvée sans grande peine en toutes sortes de matières, qu'en cherchant la vérité, qui ne se découvre que peu à peu en quelques-unes, et qui, lorsqu'il est question de parler des autres, oblige à confesser franchement qu'on les ignore. Que s'ils préfèrent la connaissance de quelque peu de vérités à la vanité de paraître n'ignorer rien, comme sans doute elle est bien préférable, et qu'ils veuillent suivre un dessein semblable au mien, ils n'ont pas besoin pour cela que je leur dise rien davantage que ce que j'ai déjà dit en ce discours. Car s'ils sont capables de passer plus outre que je n'ai fait, ils le seront aussi, à plus forte raison, de trouver d'eux-mêmes tout ce que je pense avoir trouvé : d'autant que, n'ayant jamais rien examiné que par ordre, il est certain que ce qui me reste encore à découvrir est de soi plus difficile et plus caché que ce que j'ai pu ci-devant rencontrer, et ils auraient bien moins de plaisir à l'apprendre de moi que d'eux-mêmes; outre que l'habitude qu'ils acquerront en cherchant premièrement des choses faciles, et passant peu à peu par degrés à d'autres plus difficiles, leur servira plus que toutes mes instructions ne sauraient faire. Comme pour moi je me persuade que si on m'eût enseigné dès ma jeunesse toutes les vérités dont j'ai cherché de-

puis les démonstrations, et que je n'eusse eu
aucune peine à les apprendre, je n'en aurais
peut-être jamais su aucunes autres, et du
moins que jamais je n'aurais acquis l'habitude et la facilité que je pense avoir d'en
trouver toujours de nouvelles, à mesure que
je m'applique à les chercher. Et en un mot
s'il y a au monde quelque ouvrage qui ne
puisse être si bien achevé par aucun autre
que par le même qui l'a commencé, c'est celui
auquel je travaille.

Il est vrai que, pour ce qui est des expériences qui peuvent y servir, un homme seul
ne saurait suffire à les faire toutes : mais il
n'y saurait aussi employer utilement d'autres
mains que les siennes, sinon celles des artisans,
ou telles gens qu'il pourrait payer, et à qui l'espérance du gain, qui est un moyen très effi-
cace, ferait faire exactement toutes les choses
qu'il leur prescrirait. Car pour les volontaires
qui par curiosité ou désir d'apprendre s'offriraient peut-être de lui aider, outre qu'ils ont
pour l'ordinaire plus de promesses que
d'effet, et qu'ils ne font que de belles propositions dont aucune jamais ne réussit, ils voudraient infailliblement être payés par l'explication de quelques difficultés, ou du moins
par des compliments et des entretiens inuti-
les, qui ne lui sauraient coûter si peu de son
temps qu'il n'y perdit. Et pour les expériences
que les autres ont déjà faites, quand bien
même ils les lui voudraient communiquer, ce
que ceux qui les nomment des secrets ne fe-

raient jamais, elles sont pour la plupart composées de tant de circonstances, ou d'ingré-
dients superflus, qu'il lui serait très malaisé
d'en déchiffrer la vérité : outre qu'il les trou-
verait presque toutes si mal expliquées, ou
même si fausses, à cause que ceux qui les ont
faites se sont efforcés de les faire paraître
conformes à leurs principes, que s'il en avait
quelques-unes qui lui servissent, elles ne
pourraient derechef valoir le temps qu'il lui
faudrait employer à les choisir. De façon que
s'il y avait au monde quelqu'un qu'on sût assurément être capable de trouver les plus
grandes choses, et les plus utiles au public
qui puissent être, et que pour cette cause les
autres hommes s'efforçassent par tous moyens
de l'aider à venir à bout de ses desseins, je ne
vois pas qu'ils pussent autre chose pour lui,
sinon fournir aux frais des expériences dont
il aurait besoin, et du reste empêcher que son
loisir ne lui fût ôté par l'importunité de personne. Mais outre que je ne présume pas tant
de moi-même que de vouloir rien promettre
d'extraordinaire, ni ne me repais point de
pensées si vaines que de m'imaginer que le
public se doive beaucoup intéresser en mes
desseins, je n'ai pas aussi l'âme si basse que
je voulusse accepter de qui que ce fût aucune
faveur qu'on pût croire que je n'aurais pas
méritée.

Toutes ces considérations jointes ensemble
furent cause, il y a trois ans [14], que je ne voulus point divulguer le traité que j'avais entre

les mains, et même que je fus en résolution
de n'en faire voir aucun autre, pendant ma
vie, qui fût si général, ni duquel on pût entendre les fondements de ma physique : mais
il y a eu depuis derechef deux autres raisons
qui m'ont obligé à mettre ici quelques essais
particuliers, et à rendre au public quelque
compte de mes actions et de mes desseins. La
première est que, si j'y manquais, plusieurs,
qui ont su l'intention que j'avais eue ci-
devant de faire imprimer quelques écrits,
pourraient s'imaginer que les causes pour lesquelles je m'en abstiens seraient plus à mon
désavantage qu'elles ne sont. Car bien que je
n'aime pas la gloire par excès, ou même, si je
l'ose dire, que je la haïsse, en tant que je la
juge contraire au repos, lequel j'estime sur *
toutes choses, toutefois aussi je n'ai jamais
tâché de cacher mes actions comme des crimes, ni n'ai usé de beaucoup de précautions
pour être inconnu; tant à cause que j'eusse
cru me faire tort, qu'à cause que cela m'aurait donné quelque espèce d'inquiétude qui
eût derechef été contraire au parfait repos
d'esprit que je cherche. Et pour ce que,
m'étant toujours ainsi tenu indifférent entre
le soin d'être connu ou ne l'être pas, je n'ai
pu empêcher que je n'acquisse quelque sorte
de réputation, j'ai pensé que je devais faire
de mon mieux pour m'exempter au moins de
l'avoir mauvaise. L'autre raison qui m'a obligé

---

* plus que.

à écrire ceci est que, voyant tous les jours de plus en plus le retardement que souffre le dessein que j'ai de m'instruire, à cause d'une infinité d'expériences dont j'ai besoin et qu'il est impossible que je fasse sans l'aide d'autrui, bien que je ne me flatte pas tant que d'espérer que le public prenne grande part en mes intérêts, toutefois je ne veux pas aussi me défaillir tant à moi-même que de * donner sujet à ceux qui me survivront de me reprocher quelque jour que j'eusse pu leur laisser plusieurs choses beaucoup meilleures que je n'aurai fait, si je n'eusse point trop négligé de leur faire entendre en quoi ils pouvaient contribuer à mes desseins.

Et j'ai pensé qu'il m'était aisé de choisir quelques matières qui, sans être sujettes à beaucoup de controverses, ni m'obliger à déclarer davantage de mes principes que je ne désire, ne laisseraient pas de faire voir assez clairement ce que je puis, ou ne puis pas, dans les sciences. En quoi je ne saurais dire si j'ai réussi, et je ne veux point prévenir les jugements de personne, en parlant moi-même de mes écrits : mais je serai bien aise qu'on les examine, et afin qu'on en ait d'autant plus d'occasion, je supplie tous ceux qui auront quelques objections à y faire de prendre la peine de les envoyer à mon libraire **, par lequel, en étant averti, je tâcherai d'y joindre

* Déserter ma propre cause au point de.
** Editeur.

ma réponse en même temps, et par ce moyen
les lecteurs, voyant ensemble l'un et l'autre,
jugeront d'autant plus aisément de la vérité :
car je ne promets pas d'y faire jamais de longues réponses, mais seulement d'avouer mes
fautes fort franchement, si je les connais; ou
bien, si je ne les puis apercevoir, de dire simplement ce que je croirai être requis pour la
défense des choses que j'ai écrites, sans y
ajouter l'explication d'aucune nouvelle matière, afin de ne me pas engager sans fin de
l'une en l'autre.

Que si quelques-unes de celles dont j'ai
parlé au commencement de la *Dioptrique* et
des *Météores* choquent d'abord, à cause que
je les nomme des suppositions, et que je ne
semble pas avoir envie de les prouver, qu'on
ait la patience de lire le tout avec attention,
et j'espère qu'on s'en trouvera satisfait : car
il me semble que les raisons s'y entresuivent
en telle sorte que, comme les dernières sont
démontrées par les premières qui sont leurs
causes, ces premières le sont réciproquement
par les dernières qui sont leurs effets. Et on
ne doit pas imaginer que je commette en ceci
la faute que les logiciens nomment un cercle;
car, l'expérience rendant la plupart de ces
effets très certains, les causes dont je les dé-
duis ne servent pas tant à les prouver qu'à les
expliquer; mais tout au contraire ce sont elles
qui sont prouvées par eux. Et je ne les ai
nommées des suppositions qu'afin qu'on sache que je pense les pouvoir déduire de ces

premières vérités que j'ai ci-dessus expliquées; mais que j'ai voulu expressément ne le
pas faire, pour empêcher que certains esprits,
qui s'imaginent qu'ils savent en un jour tout
ce qu'un autre a pensé en vingt années, sitôt
qu'il leur en a seulement dit deux ou trois
mots, et qui sont d'autant plus sujets à faillir,
et moins capables de la vérité, qu'ils sont
plus pénétrants et plus vifs, ne puissent de là
prendre occasion de bâtir quelque philosophie extravagante sur ce qu'ils croiront être
mes principes, et qu'on m'en attribue la faute.
Car pour les opinions qui sont toutes miennes, je ne les excuse point comme nouvelles,
d'autant que si on en considère bien les raisons, je m'assure qu'on les trouvera si simples, et si conformes au sens commun, qu'elles sembleront moins extraordinaires et
moins étranges qu'aucunes autres qu'on
puisse avoir sur mêmes sujets. Et je ne me
vante point aussi d'être le premier inventeur
d'aucunes, mais bien que je ne les aie jamais
reçues ni pource qu'elles avaient été dites par
d'autres, ni pource qu'elles ne l'avaient point
été, mais seulement pource que la raison me
les a persuadées.

Que si les artisans ne peuvent sitôt exécuter
l'invention qui est expliquée en la *Dioptrique* [19], je ne crois pas qu'on puisse dire pour
cela qu'elle soit mauvaise : car, d'autant qu'il
faut de l'adresse et de l'habitude pour faire et
pour ajuster les machines que j'ai décrites
sans qu'il y manque aucune circonstance, je

ne m'étonnerais pas moins s'ils ren-
contraient * du premier coup que si quelqu'un pouvait apprendre en un jour à jouer
du luth excellemment, par cela seul qu'on lui
aurait donné de la tablature ** qui serait
bonne. Et si j'écris en français, qui est la langue de mon pays, plutôt qu'en latin, qui est
celle de mes précepteurs, c'est à cause que
j'espère que ceux qui ne se servent que de
leur raison naturelle toute pure jugeront
mieux de mes opinions que ceux qui ne
croient qu'aux livres anciens : et pour ceux
qui joignent le bon sens avec l'étude, lesquels
seuls je souhaite pour mes juges, ils ne seront
point, je m'assure, si partiaux pour le latin
qu'ils refusent d'entendre mes raisons pource
que je les explique en langue vulgaire ***.

Au reste je ne veux point parler ici en particulier des progrès que j'ai espérance de faire
à l'avenir dans les sciences, ni m'engager envers le public d'aucune promesse que je ne
sois pas assuré d'accomplir : mais je dirai
seulement que j'ai résolu de n'employer le
temps qui me reste à vivre à autre chose qu'à
tâcher d'acquérir quelque connaissance de la
nature qui soit telle qu'on en puisse tirer des
règles pour la médecine, plus assurées que
celles qu'on a eues jusqu'à présent; et que
mon inclination m'éloigne si fort de toute
sorte d'autres desseins, principalement de

* Réussissaient.
** Une partition.
*** Courante, ordinaire (ici, la langue française).

ceux qui ne sauraient être utiles aux uns qu'en nuisant aux autres, qui si quelques occasions me contraignaient de m'y employer, je ne crois point que je fusse capable d'y réussir. De quoi je fais ici une déclaration, que je sais bien ne pouvoir servir à me rendre considérable dans le monde; mais aussi n'ai-je aucunement envie de l'être : et je me tiendrai toujours plus obligé à ceux par la faveur desquels je jouirai sans empêchement de mon loisir, que je ne ferais à ceux qui m'offriraient les plus honorables emplois de la terre.

COMMENTAIRES
par
J.-M. Beyssade

LE *Discours de la méthode* fut publié à Leyde
en 1637, sans nom d'auteur, avec un privilège
du roi Louis XIII. Cette autobiographie intellectuelle n'est pas la première : Montaigne,
avec les *Essais*, avait déjà donné les libres
méditations d'un esprit qui s'entretient avec
lui-même sans souci directement religieux. Cet
ouvrage de philosophie n'est pas le premier à
être écrit en français : Scipion Dupleix avait
publié en 1602 un *Cours complet de philosophie*. Cet exposé de la science nouvelle, de ses
méthodes et de ses recherches, vient après le
Novum Organum de Bacon, publié en 1620,
après *L'Essayeur* de Galilée en 1623, et son
*Dialogue sur les deux plus grands systèmes
du monde* en 1632. Mais il s'agit assurément
du premier ouvrage à être tout cela à la fois.
Roman de culture qui a la forme d'une autobiographie : René Descartes, qui à quarante
et un ans n'a rien publié encore, raconte son
éducation intellectuelle au début du XVIIᵉ siècle, comme d'autres, au XIXᵉ, leur éducation
sentimentale. Manifeste en faveur de la

science nouvelle, un peu programme et un peu réclame : le tract introduit trois essais scientifiques, où le savant trouvera par exemple la loi de la réfraction, dans la *Dioptrique*, et la célèbre *Géométrie*, algébrique plutôt qu'analytique. Enfin la philosophie cartésienne déploie, pour la première fois, l'itinéraire réglé qui conduit méthodiquement au sujet pensant et au fondement de la vérité, puis de Dieu au monde de la physique mathématique. Chaque lecteur jugera comme il l'entend quel aspect est le plus important, ou même s'il faut les distinguer : l'œuvre est assez limpide pour se passer fort bien d'introduction. Il trouvera ici, s'il en éprouve le besoin, quelques éléments d'information, ou d'appréciation, sur ces trois aspects du *Discours* : autobiographique, scientifique et philosophique.

L'autobiographie de Descartes : fable ou histoire ?

Le *Discours de la Méthode* est de part en part un récit. Qui le lira comme une autobiographie s'inquiétera de son exactitude : car cette histoire savoureuse, « la *più saporita* que j'aie jamais vue », écrivait Huygens, n'est, « si vous l'aimez mieux », qu'une fable.

Fable au sens de Descartes, comme est fable la description d'un nouveau monde que

Dieu créerait dans les espaces imaginaires (et qui coïncide exactement avec le vrai monde), ou la formation d'une machine de terre (qui coïncide exactement avec le vrai corps humain tel qu'un anatomiste peut le connaître). L'exactitude de la fable ne s'oppose pas à la fidélité de l'histoire. Au contraire. « Même les histoires les plus fidèles, si elles ne changent ni n'augmentent la valeur des choses pour les rendre plus dignes d'être lues, au moins en omettent-elles presque toujours les plus basses et moins illustres circonstances, d'où vient que le reste ne paraît pas tel qu'il est » : cette critique de l'histoire, qui est au début du *Discours,* se retourne aussi contre lui, ou plutôt sur lui. Car, pour sauvegarder la fidélité de l'histoire, le mieux serait sans doute de ne rien omettre, ce qui, après tout, n'est peut-être pas absolument impossible : *presque toujours* n'est pas *toujours.* Mais, à défaut de cette complétude, la conscience de la fable peut assurer la fidélité de l'histoire. Guez de Balzac attendait, dans une lettre de 1628, l'*Histoire de votre esprit :* « vous me l'avez promise en présence du Père Clitophon, qu'on appelle en langue vulgaire M. de Gersan ». Le *Discours* la représentera « comme en un tableau », et on ne peut pas « également bien représenter dans un tableau plat toutes les diverses faces d'un corps solide ». L'homme est un corps solide et son esprit n'est qu'une face, même si c'est la première et la principale, ou, pour user de la terminologie

cartésienne, l'esprit n'est qu'une substance in-
complète quand on le rapporte à l'homme
complet qu'il compose avec le corps; même si
on le considère séparément, un esprit humain,
comme celui de Descartes, est aussi un corps
solide, je veux dire bien sûr une substance, et
le tableau de ses pensées n'en éclaire qu'une
face, il ombrage les autres, il ne les fait paraître qu'en tant qu'on peut les voir en regardant celle-là. L'intention du *Discours* n'est pas
seulement, ni même d'abord, de présenter une
vie, mais de représenter une pensée, le cheminement d'un esprit à travers la suite ordonnée de ses pensées. Fable puisqu'il renonce à
tout montrer, il peut être pourtant histoire fidèle, non seulement quant à ce qu'il éclaire,
mais en laissant paraître, de biais, ce qu'il ne
montre pas. Il arrive qu'il signale, chemin faisant, le rapport de la face éclairée à ce qui
restera dans l'ombre.

Gentilhomme poitevin, de condition assez
aisée pour n'avoir pas voulu de solde quand
il était soldat, ni fait métier de la science
quand ses publications lui auront acquis la
notoriété, Descartes sait aussi bien que Montaigne combien comptent la famille et la fortune, les humeurs et les amours. Mais il choi-
sit d'éclairer une autre face : noblesse (de
robe ou d'épée), la piété de sa nourrice et la
piété de l'Oratoire, la faiblesse de ses poumons et sa faiblesse de cœur pour les filles
louches s'ombragent. « J'ai été nourri aux lettres dès mon enfance » : avec la première

ligne du récit, l'histoire est devenue une fable sans devenir infidèle. Une phrase célèbre signale, et explique, l'importance pour l'homme de la petite enfance : nous sommes faits avant de nous faire, faits par « nos appétits et nos précepteurs » avant de nous refaire par raison. En décidant de commencer avec les précepteurs, Descartes a choisi d'ombrager les appétits, ils se réduisent, fabuleusement mais peut-être exactement, à « un extrême désir d'apprendre à distinguer le vrai d'avec le faux, pour voir clair en mes actions, et marcher avec assurance en cette vie ». L'histoire d'une vie aurait montré l'homme nourri d'abord au lait d'une nourrice, voire, si l'on en croit la psychophysiologie cartésienne du fœtus, nourri au sang de sa mère (qui devait mourir quelques mois après la naissance de René). Ce qui commence avec l'école est une fable, la fable peut-être exacte d'un esprit « nourri aux lettres » dès son enfance. Et, tout au long du texte, le lecteur retrouvera cette reconstruction fabuleuse : appel à la précision de tels souvenirs, qui font le contenu manifeste des six parties, et silences révélateurs du choix, d'un tri que l'historien d'aujourd'hui peut et doit dégager. Comparer ce que la fable dit avec ce qu'apprend l'histoire, une histoire plus complète sinon complète, c'est du même coup confirmer l'exactitude de ce qui est dit, et interpréter l'absence de ce qui est tu.

Le *Discours* est une fable à épisodes. Trois

épisodes sont datés avec quelque précision, et narrés avec quelques détails. Un hiver en Allemagne, de 1619 à 1620 : Descartes entre dans son poêle au début de la seconde partie, il en sort au milieu de la troisième quand « l'hiver n'était pas encore bien achevé ». Une retraite au désert, dans ces Provinces-Unies qu'on nomme improprement la Hollande, « il y a justement huit ans » : les premières méditations métaphysiques, celles de la quatrième partie, auraient donc eu lieu pendant l'hiver de 1628 à 1629. Le troisième épisode touche à un traité non publié, le *Monde* que résume la cinquième partie : la condamnation de Galilée, en 1633, « il y a maintenant trois ans » (car le *Discours* publié en 1637 était, pour partie, dès l'année 1636, rédigé et même sous presse), conduisit Descartes à garder pour lui les fondements de sa physique. Mais l'itinéraire intellectuel ne se réduit pas à la succession de quelques instants privilégiés : ces scènes presque mythiques, comme des vignettes d'Épinal, figurent, selon une analogie militaire de notre texte, comme autant de batailles dans la continuité d'une durée. Durée longue et, à certains égards, indéfinie. D'abord « tout ce cours d'études au bout duquel on a coutume d'être reçu au rang des doctes », que la première partie rassemble, tel le premier chapitre dans une Histoire de la Révolution, en un tableau de l'Ancien Régime intellectuel. Puis la durée des voyages, « toutes les neuf années suivantes » qui séparent le projet de

1619 et la réalisation de 1629, consacrées à
« rouler çà et là dans le monde », mais aussi
à la pratique des mathématiques et aux questions de physique « que je pouvais rendre
quasi semblables à celles des mathématiques ». Enfin la durée ouverte et indéfinie
d'un avenir, l'avenir des progrès scientifiques
offerts à un homme dont « l'âge n'est point si
avancé », et, après lui, à « nos neveux », à la
postérité. Chacun des épisodes prend rang
dans un mouvement continu qui augmente
« par degrés » la connaissance et l'élève « peu
à peu ». Il est vrai qu'on a coutume de trans-
former ces degrés en saccades, et que Descartes souligne à chaque fois le caractère subit et
quasi ponctuel de la rupture, l'irruption de la
volonté qui substitue, aux chemins dans lesquels je me suis rencontré, les chemins que je
choisis de suivre, bref ce qu'il nomme *résolution* plutôt que révolution. « Je pris un jour
résolution d'étudier aussi en moi-même...
J'étais alors en Allemagne »; « il y a justement huit ans que ce désir me fit résoudre à
m'éloigner »; « ce qui a été suffisant pour
m'obliger à changer la résolution que j'avais
eue... car encore que les raisons pour lesquelles je l'avais prise auparavant fussent très fortes, mon inclination... m'en fit incontinent
trouver assez d'autres pour m'en excuser ».
Mais ces points d'inflexion marquent le début
d'une chaîne de raisons, ils sont riches d'une
durée, telle la nouvelle force qui, dans la physique cartésienne, s'ajoute à la conservation

du mouvement antérieur pour produire, par degrés et peu à peu, une accélération continue. Prenez l'exemple le plus illustre, le poêle d'Allemagne : la méthode n'est pas découverte dans l'éclair d'une intuition instantanée, elle est solidaire d'une morale par provision, et surtout d'une mathématique nouvelle par laquelle « toutes les questions » de l'algèbre et de la géométrie furent maîtrisées « en deux ou trois mois ». Un hiver n'aurait peut-être pas été trop long pour une telle tâche ! De même pour la retraite aux Provinces-Unies : nulle coupure dans la chaîne déductive qui, à partir de la métaphysique, conduisit à résoudre, « en peu de temps », « toutes les principales difficultés dont on a coutume de traiter en la philosophie » (c'est-à-dire, selon la terminologie du temps, dans la physique générale ou fondamentale). La fable restitue donc elle-même ces épisodes à la durée, et restitue à ces épisodes leur épaisseur de durée. Du coup, l'historien peut relever quelques distorsions, sinon en reconstruire l'unité systématique.

Que le premier épisode se passe en 1619 dans un poêle d'Allemagne, le biographe s'en étonnera. Car, le 10 novembre 1618, le jeune militaire venu se former à l'école du capitaine hollandais Maurice de Nassau avait rencontré, à Bréda, Isaac Beeckman et le grand courant du *mécanisme* (qui allait emporter, en ce début du XVIIᵉ siècle, une antique cosmologie, la physique qui, depuis Aristote, avait survécu à tant de crises et intégré tant de découvertes). Cette rencontre fut comme un réveil, et une conversion. Le conseil fut donné, et suivi, de ne plus lire seulement dans les livres d'autrui ou même dans le livre du monde, mais d'écrire — car lire ou étudier en soi-même est précisément, en traçant son propre chemin, écrire ses propres traités. L'imprudent jeune homme risquait même une de ces promesses que la morale par provision condamnera après que son aîné en aura, peut-être, abusé : « si par hasard il sort de moi quelque chose qui ne soit pas à mépriser, vous pourrez à bon droit le réclamer entièrement pour vous » (23 avril 1619). Pourquoi donc l'étrange silence sur Beeckman et sa *mathématico-physique* ? Il ne suffit pas d'invoquer la brouille survenue en 1630, il faut d'abord la comprendre. On pourrait ici rappeler un autre silence : le *Discours* ne souffle mot de l'Esprit de vérité qui, dans la nuit du 10 novembre 1619, aurait inspiré les trois rêves célèbres rapportés dans les *Olympiques*. C'est que la découverte a porté sur la nécessité et la possibilité d'accomplir seul la reconstruction du savoir. La reprise de l'esprit par lui-même ne s'apprend pas, elle ne peut pas venir du dehors. Si un autre en a été l'occasion, il est nécessairement rejeté par elle du côté de l'objet : Descartes refusera d'avoir rien appris de son ancien ami, sinon comme il a « coutume d'apprendre des moindres choses de la nature », « des fourmis et des vermisseaux » (automne 1630). La chaîne des raisons devra conduire par degrés des évidences les plus simples à la parfaite assurance en la vie, et la première partie du *Discours* compose par contraste le tableau de l'Ancien Régime intellectuel comme une *Vanité* : sur la certitude des mathématiques, rien n'est bâti de plus relevé que la construction des machines, la philosophie dont les autres sciences dépendent est incertaine, la conduite de la vie est écartelée entre les prescriptions de la théologie, la présomption de l'éthique stoïcienne et les procédés des arts mécaniques. Une seule chose survit à la résolution, ou à la révolution, de 1619 : c'est le plus personnel, l'exercice. A la diversité des « exercices auxquels on s'occupe dans les écoles » se substitue seulement la refonte complète des disciplines mathématiques. Le projet cartésien n'est donc pas, il ne sera jamais le projet de Beeckman et du mécanisme, déduire la physique de la mathématique. Quand Descartes ne doutait pas, en 1619, qu'il fallût commencer par la mathématique, sa *Mathesis universalis* ne débouchait justement pas sur une physique, qui aurait été bâtie sans fondements, mais sur la pratique d'une méthode, sur un exercice préparatoire ou provisionnel. Pour aboutir à une vraie physique, il faudra commencer par la métaphysique, et la décision en est prise dès 1619, en même temps que la réalisation est différée. La philosophie constituée passera directement de la métaphysique ou philosophie première à la physique, sans plus mentionner « la géométrie abstraite, c'est-à-dire la recherche des questions qui ne servent qu'à exercer l'esprit », car, si « toute ma physique n'est autre chose que géométrie », elle est cette « autre sorte de géométrie qui se propose pour questions l'explication des phénomènes de la nature » (27 juillet 1638). Selon l'ordre, la mathématico-physique est véritablement une *Batrachomyomachie* (17 octobre 1630), le heurt de deux disciplines hétérogènes tant qu'est ignoré le point de passage obligé, la métaphysique.

Faut-il prendre à la lettre le second épisode et faire remonter à 1629 la constitution de la métaphysique cartésienne ? Il s'agit là de déterminer ses rapports avec la physique, et la relation entre les exposés qui se succéderont jusqu'aux *Méditations métaphysiques* en 1641, aux *Principes de la Philosophie* en 1644. Reprenons, en historiens, les faits et leur date. A la suite d'une conférence chez le nonce du pape à Paris et sur l'invitation du cardinal de Bérulle, Descartes se décide enfin à chercher les fondements d'une philosophie plus certaine que l'ordinaire. Entre octobre 1628 et avril 1629, à une date indéterminée, il se retire aux Provinces-Unies et s'y occupe de métaphysique. « Les neuf premiers mois que j'ai été en ce pays, je n'ai travaillé à autre chose », écrit-il à Mersenne le 15 avril 1630. Le 18 juillet 1629, il commence (à rédiger, peut-être ?) en Frise, à Franeker, un petit *Traité* qu'il promet d'envoyer à son ami Gibieuf, disciple du cardinal de Bérulle, quand il sera terminé, dans deux ou

trois ans. Le 8 octobre 1629, « il y a plus de
deux mois » qu'il a interrompu ce travail, il
ne le reprendra plus avant longtemps. Il
faut donc placer les neuf mois entre novembre 1628 et août 1629, ce qui met « justement huit ans » entre la rédaction du *Discours* et la retraite au désert, « environ huit
ans » entre la lettre à Mersenne du 27 février 1637 et la rédaction en latin du petit
Traité. Que pouvait contenir ce « commencement de métaphysique », dont le texte ne
nous est pas parvenu ? Dès 1630, les lettres
à Mersenne apprennent qu' « on peut démontrer les vérités métaphysiques d'une façon qui est plus évidente que les démonstrations de géométrie », que par cette voie on
parvient à « trouver les fondements de la
physique » (15 avril) et que « les principaux
points sont de prouver l'existence de Dieu,
et celle de nos âmes, lorsqu'elles sont sépa-
rées du corps, d'où suit leur immortalité »
(25 novembre). Si Descartes garde pour lui
son texte latin, il en publiera, avec la quatrième partie du *Discours*, un résumé, volontairement simplifié et adouci pour ne pas
troubler « les plus faibles esprits » dans un
ouvrage écrit « en langue vulgaire », en français. Quand les lecteurs « les plus intelligents » critiquent ce résumé, il répond qu'il
suffira d'y joindre, en cas de seconde édition, le *Traité* de 1629 à titre d'éclaircisse-
ment. Les raisons de douter y étaient donc
expliquées plus « au long », et comprenaient

vraisemblablement la seule qui manque dans
le *Discours*, la considération de mon créateur tout-puissant, qui peut être tournée
contre « tous les jugements qui dépendent
du sens ou de l'imagination », sans atteindre
« ceux qui ne dépendent que de l'entendement pur » (27 février 1637) comme le montre un dialogue de date inconnue, *La Recherche de la Vérité*. Sous réserve de mises
au point, ou de différences d'accentuation, la
métaphysique cartésienne apparaît ainsi
avoir été constituée dès 1629. Elle a par conséquent précédé la physique, qui l'a immédiatement suivie. Cette physique s'appuie sur
les résultats de la métaphysique, car, à défaut de tels fondements, les recherches du
mécanisme peuvent rendre certaines questions quasi semblables à celles des mathématiques, mais elles ne méritent pas encore le
nom de physique. Et, en même temps, elle
confirme les conclusions de la métaphysique,
en particulier la réelle distinction de l'âme
et du corps. Telle est bien la chronologie ré-
trospective qu'on trouvera à la fin des *Réponses aux sixièmes Objections*, et l'étude
historique des textes confirme l'exactitude
des fables cartésiennes : elle ajoute simplement quelque hasard et quelque discontinuité au mouvement qui conduisit de la Di-
vinité aux Météores, de la métaphysique à la
physique.

Le troisième épisode se définit, tel un
point, par l'intersection entre une trajectoire

individuelle, la réforme tout intérieure d'un esprit, et l'histoire des hommes, des sciences et des institutions religieuses. Le heurt commande la suite de l'œuvre, elle s'ordonne jusqu'aux *Principes* de 1644 autour d'une coupure : du dehors, la théologie a coupé la philosophie cartésienne en deux, métaphysique d'un côté, Essais scientifiques de l'autre. Descartes était décidé depuis 1629 à écrire et à publier une vraie Physique, fondée en métaphysique. Il revoyait en vue de l'impression son traité, *Le Monde* (qui comprenait également ce que nous appelons *L'Homme*), quand, un jour de novembre 1633, il apprit que le Saint-Office venait de condamner Galilée pour avoir soutenu le mouvement de la Terre. Or « le mouvement défendu » était inséparable du nouveau traité. Descartes renonça aussitôt à sa publication, d'abord « quasi résolu de brûler tous mes papiers ou du moins de ne les laisser voir à personne », résolu ensuite à les garder jusqu'à des temps meilleurs qu'il n'est pas interdit d'espérer, et même de préparer. Pourquoi cette décision ? La condamnation romaine n'avait dans les Provinces-Unies ni effet ni valeur juridique, il ne s'agit donc pas de peur, sinon peut-être la peur de fastidieuses polémiques. Les raisons de Descartes sont complexes, aussi complexes que sa conception des rapports entre philosophie et théologie. La sixième partie du *Discours* n'invoque que des raisons d'ordre pratique : la

première maxime de la morale par provision
prescrit de soumettre ses actions à l'autorité
de l'Eglise tout comme aux lois de son pays,
et la publication d'un ouvrage est une action. Mais Descartes met aussi les vérités de
foi, au même titre que toutes les maximes
de la morale par provision, à l'abri du
doute, il tient l'Eglise pour infaillible :
comme d'ailleurs il ne doute guère de ses raisons,
et qu'une vérité ne peut pas être contraire à
l'autre, il est convaincu que l'accord finira
par se faire, sans qu'il ait besoin de mentir
pour rester fidèle, ni de refuser la censure
des « bons et orthodoxes théologiens » pour
assurer son indépendance de philosophe. Il
sait bien qu'on confond souvent avec les vérités révélées les préjugés à travers lesquels
elles ont été interprétées, et comment l'on
pourrait en appeler de la condamnation romaine au pape ou au Concile : mais sa réserve à user de telles exceptions est tout à
fait remarquable. Il préfère, non point envisager qu'il s'est trompé, mais plutôt reprendre ses démonstrations pour approfondir en
quoi elles sont indubitables : c'est ainsi
qu'en définitive ses réflexions sur la relati-
vité et la réciprocité du mouvement condui-
ront Descartes à le définir par rapport au
corps immédiatement voisin et lui permet-
tront, sans rien renier de sa cosmologie, de
« nier le mouvement de la Terre avec plus
de soin que Copernic, et plus de vérité que
Tycho » (*Principes*, III, 19). En attendant

de pouvoir publier sa Physique ainsi préci-
sée, Descartes, pour « lui préparer le chemin, et sonder le gué » (mai 1637), présente
à part ses découvertes de savant et ses thèses
de métaphysicien. Le *Discours de la méthode*
en 1637, n'est qu'une préface pour des Essais
scientifiques, et ces « échantillons » sont
assez éclatants pour prouver la valeur de la
nouvelle méthode et donner au lecteur le
désir de connaître la physique cartésienne
dans sa totalité, mais assez fragmentaires
pour permettre à l'auteur de laisser dans
l'ombre les fondements de sa physique, les
principes de sa philosophie. Inversement,
les *Méditations métaphysiques*, en 1641, ap-
profondissent pour elles-mêmes les premières
méditations de 1629, sans développer les
conséquences physiques qu'elles impliquent :
« car je vous dirai que ce peu de métaphysique que je vous envoie contient tous les
principes de ma physique » (à Mersenne,
11 novembre 1640), « tous les fondements de
ma physique. Mais il ne faut pas le dire, s'il
vous plaît, car ceux qui favorisent Aristote
feraient peut-être plus de difficulté de les approuver; et j'espère que ceux qui les liront,
s'accoutumeront insensiblement à mes principes, et en reconnaîtront la vérité avant que
de s'apercevoir qu'ils détruisent ceux d'Aristote » (28 janvier 1941). Depuis 1633, Descartes n'a pas caché qu'il gardait par-devers
lui, comme une promesse ou comme une
menace, cette Physique qui est le tronc de

l'arbre philosophique. Avec les *Principes de la Philosophie*, celui qu'on commençait à appeler « célèbre prometteur » tiendra enfin sa promesse, en réunifiant ce que la condamnation de Galilée avait violemment disjoint : les racines ou la métaphysique, les branches ou les diverses sciences.

Descartes savant : les exigences de la physique nouvelle.

Le *Discours de la méthode* sert de préface à trois traités, de physique, la *Dioptrique* et les *Météores*, et de mathématique, la *Géométrie*. Dès le premier moment, il a été conçu comme une préface (à Huygens, 1ᵉʳ novembre 1635). On s'attend que le savant y expose son idée de la science, on y trouve un appel, que le métaphysicien assez féru d'indépendance pour se réfugier au désert est contraint d'adresser au grand public, pour réclamer de l'argent. La nouvelle physique, pratique et non spéculative, qui a besoin d'expériences autant que de raisonnements, a forcé le philosophe à penser et à publier sa relation paradoxale à autrui dans l'histoire de la science moderne.

N'allons pas dissoudre le paradoxe par la chronologie, comme si Descartes avait soutenu à des dates différentes des théories de la science contradictoires. La genèse de notre texte permet à l'inverse de définir avec exacti-

tude la transgression qui s'y opère consciem-
ment. La condamnation de Galilée a obligé
Descartes à faire malgré lui la théorie d'une
physique sans métaphysique (il lui aurait re-
fusé le nom de physique, elle l'a gardé). Pour
ce faire, il dut réfléchir sur le lien entre ses
recherches et le public, et distinguer soigneusement deux étapes. Le rappel de l'esprit à
lui-même, d'abord : réforme des mœurs ou révolution métaphysique, cette affaire toute pri-
vée n'exige que de l'attention, et une solitude
(que sa fortune personnelle rendit, pour le
gentilhomme poitevin, confortable). Si importante qu'elle apparaisse à celui qui l'opère,
elle n'intéresse en rien le public : pourquoi y
contribuerait-il de son argent ? Même si un
souci pratique est présent dès cette étape, un
souci de sagesse, il n'a rien de politique. Descartes est désespérément obéissant. Il ne se
révolte ni contre Dieu, ni contre le roi, ni
contre l'Eglise, ni contre l'organisation écono-
mique et sociale de son temps, mais seulement contre ses propres préjugés. Et, comme
il obéit à l'ordre établi sans le croire juste, il
ne suffirait pas de lui en démontrer l'injustice
pour ébranler son obéissance. C'est avec la
physique que tout change : Descartes découvre le public avec la nécessité de publier (bien
différente de la résolution d'écrire). Il a désormais quelque chose à apporter au public,
une science qui rend les hommes « comme
maîtres et possesseurs de la nature », et quelque chose à demander, les moyens de progres-

ser dans cette science en menant à bien les expériences nécessaires. Descartes ne cesse de réclamer à son ami Mersenne des informations scientifiques, des tables d'observations, des comptes rendus d'expérience; mais il répugne à s'interrompre, et à perdre du temps, pour lui rendre la pareille. La condamnation de Galilée le surprend au milieu d'un gué : sa science est trop avancée pour pouvoir se passer d'expériences, trop peu avancée pour déboucher sur des applications convaincantes. Car, « comme ce n'est pas des racines ni du tronc des arbres qu'on cueille des fruits, mais seulement des extrémités de leurs branches, ainsi la principale utilité de la philosophie dépend de celles de ses parties qu'on ne peut apprendre que les dernières » (Lettre-préface des *Principes*). Le *Discours* va substituer, à une physique déduite de la métaphysique, une réflexion sur la pratique effective du savant. Descartes met au net ses deux traités de physique, commencés depuis longtemps, en les détachant soigneusement des principes ou fondements proprement métaphysiques. Mais la préface qu'il leur joint s'appelle le *Projet d'une Science universelle, qui puisse élever notre nature à son plus haut degré de perfection* (à Mersenne, mars 1636) avant de devenir le *Discours de la méthode pour bien conduire sa raison et chercher la vérité dans les sciences.* Les deux orientations se rejoignent, elles ne se confondent pas. Certes la méthode est l'instrument pour la science universelle, et réciproquement la raison, donnée également à chacun, est aussi à conquérir et à élever à son plus haut degré de perfection par la réalisation de cette science universelle, dont les mathématiques ont fourni l'idée, et que Descartes ne désespère pas d'achever seul. Il reste que la réflexion sur la méthode souligne l'autonomie de l'esprit individuel : la *Géométrie* (qui s'ajoute aux deux traités de physique), la métaphysique, la médecine, et même la morale par provision deviennent de simples exemples, qui attestent l'universalité de la méthode. Selon la première inspiration des *Regulae*, la science tend ainsi à s'enfermer dans l'individualité du savant, apte à résoudre seul toutes les questions, qui n'attend pas grand-chose d'autrui (à Hogelande, 8 février 1640). Au contraire la science universelle, qui tend à prendre le pas sur la méthode et à réduire son exposé à quelques lignes, apparaît comme une œuvre collective, qui menace d'échapper à son inventeur. L'appel au public, dans la sixième partie, associe une transgression à un renversement. Transgression : le philosophe entre dans une cité scientifique où il n'est plus qu'un citoyen parmi les autres. Renversement : la physique cesse de se fonder sur la métaphysique pour se fonder sur l'expérience.

Descartes découvre ce que notre époque appelle la politique de la science. Le privilège d'édition que Mersenne obtint du roi Louis XIII, le 4 mai 1637, pour « notre bien aimé Descartes », s'inscrit dans une relation

fondamentale entre la recherche scientifique et
la collectivité. D'un côté, le roi ou son ministre,
comme dépositaire de l'autorité et de l'argent
publics : « il faudrait que M. le Cardinal (de
Richelieu) vous eût laissé deux ou trois de ses
millions, pour pouvoir faire toutes les expériences qui seraient nécessaires pour découvrir
la nature particulière de chaque corps; et je ne
doute point qu'on ne pût venir à de grandes
connaissances, qui seraient bien plus utiles au
public que toutes les victoires qu'on peut gagner en faisant la guerre » (à Mersenne, 4 février 1643). De l'autre, un auteur qui « offre de
bailler au public (plusieurs choses utiles et belles, auparavant inconnues dans les sciences humaines et concernant divers arts avec les
moyens de les mettre en exécution), en lui ac-
cordant qu'il puisse faire imprimer des traités
qu'il en a composés et composera ci-après, soit
de théorie soit de pratique, séparément et con-
jointement. » La théorie démonte la nature
comme une horloge, la pratique pourra lui
faire sonner l'heure au gré du public. Faire
sonner plus tôt la sortie du travail : « une infinité d'artifices qui feraient qu'on jouirait sans
aucune peine des fruits de la terre et de toutes
les commodités qui s'y trouvent ». Faire sonner
plus tard l'heure de la décrépitude et de la
mort : « On se pourrait exempter d'une infinité
de maladies, tant du corps que de l'esprit, et
même aussi peut-être de l'affaiblissement de la
vieillesse, si on avait assez de connaissance de
leurs causes, et de tous les remèdes dont la na-

ture nous a pourvus ». Cette double infinité des
artifices et des remèdes sera le juste prix payé
par la mécanique et la médecine pour la troisième infinité, « une infinité d'expériences dont
j'ai besoin », « telles et en si grand nombre que
ni mes mains, ni mon revenu, bien que j'en
eusse mille fois plus que je n'en ai, ne sauraient suffire pour toutes ». Ce rapport global
de la science avec le public, qui fournit les cré-
dits et utilise les applications, détermine d'autres rapports, à l'intérieur de la cité scientifique. Cette cité n'est pas close comme le poêle
du métaphysicien, mais comme l'arsenal de Ve-
nise où conversent les personnages de Galilée,
dans les *Discorsi* de 1638. Et la nouvelle rationalité tend à y séparer deux classes d'hommes :
les savants, entre lesquels le problème est de
faire circuler l'information, pour que chacun
puisse commencer où l'autre aura fini, une information nue qui ne soit ni jalousement gar-
dée comme un secret, ni indéchiffrable parce
qu'inséparable de son interprétation; et les
techniciens, que Descartes appelle des artisans
et qu'il réduit à leurs mains, payés désormais
en argent plutôt qu'en explications ou en compliments, c'est-à-dire avec le (précieux) temps
des (vrais) savants. La fraternité de vie que
Descartes avait, inutilement, promise à Ferrier
pour qu'il vienne à Franeker tailler des lentil-
les sous sa direction, n'existera pas dans cette
cité nouvelle où l'invention empirique de la lu-
nette astronomique par de simples artisans est
ressentie comme « la honte de la science ».

Mais Descartes touche les limites, ou les difficultés, en même temps qu'il dessine le système nouveau. Dans le pacte scientifique, rien n'est définitivement garanti : comment le roi jugera-t-il des aptitudes d'un savant, au moment de financer ses recherches, alors que le savant ne peut pas être lui-même assuré de leurs applications ? Par le *Discours de la méthode*, et les *Essais* qui le suivent, et le *Monde* dont il parle, le rapport politique est situé à l'intérieur d'un rapport plus large encore. Avec le public savant qui appréciera dans les trois *Essais* « ce que je puis, ou ne puis pas, dans les sciences ». Avec l'ensemble de l'humanité, dont l'auteur refuse de sacrifier les intérêts à telle collectivité particulière. Avec la postérité même, pour qui recherches fondamentales et système de la vraie physique sont conservés. Descartes n'abandonne nullement les deux rêves qu'il poursuit, contradictoires entre eux, contradictoires avec la science nouvelle dont il enregistre les exigences : un rêve de moraliste, ne dépendre de personne en renonçant à tout ce qui exige l'aide d'autrui (« au lieu de trouver les moyens de conserver la vie, j'en ai trouvé un autre, bien plus aisé et plus sûr, qui est de ne pas craindre la mort », à Chanut, 15 juin 1646), et le rêve d'achever seul la science universelle grâce aux victoires remportées (« je pense n'avoir plus besoin d'en gagner que deux ou trois autres semblables pour venir entièrement à bout de mes desseins »). Ces deux rêves ne sont ni antérieurs ni postérieurs à la pratique de la physique :

ils circonscrivent la place qui lui est assignée.

Telle que l'exposent *Dioptrique* et *Météores*, cette physique nouvelle ne se fonde plus sur la métaphysique, mais sur l'expérience. La condamnation de Galilée a conduit Descartes à taire ses principes, qui impliquaient le mouvement défendu. Elle l'a obligé à faire malgré lui la théorie (bientôt classique, bientôt banale) de la science expérimentale. Il faut être attentif. Il nous est sans cesse rappelé que la science la plus parfaite procède des causes aux effets ou, selon l'expression d'alors, *a priori*, et qu'elle déduit les vérités fondamentales de la physique, comme le principe d'inertie ou la conservation de la quantité de mouvement, à partir de la métaphysique et des seules perfections divines, ici son caractère immuable. L'expérience, dans ce modèle épistémologique, n'est pas absente, mais elle est subordonnée. D'abord pour confirmer les principes de la physique, qui tirent leur certitude d'ailleurs, de la déduction métaphysique, les expériences les plus communes suffisent, qui se présentent d'elles-mêmes sans appareil technique. A mesure que l'on progresse vers le particulier, l'expérience devient plus nécessaire, et plus difficile. Les principes sont si féconds qu'ils ne permettent plus de distinguer ce qui existe de ce qui pourrait exister, à moins de procéder *a posteriori*, des effets vers les causes. On perd alors la liberté du mathématicien, qui se soucie peu d'existence, à mesure qu'on se rapproche de l'usage, de l'application technique. Avant d'expliquer, il faut décrire ce qui existe : l'observation, ce que Bacon appelait l'histoire, *historia,* détermine seule quelles sont les cases effectivement remplies dans le tableau des possibles, des « formes ou espèces de corps » (chimiques, ou biologiques). Il faut ensuite choisir entre les explications, car il peut exister plusieurs chemins entre le point de départ fourni par les principes *a priori* et le point d'arrivée imposé par l'observation : les expériences qu'on appelle, depuis Bacon, cruciales, sont « telles que leur événement ne soit pas le même si c'est en l'une de ces façons qu'on doit l'expliquer, que si c'est en l'autre ». Dans les deux cas, l'expérience n'est plus seulement confirmative, elle est le principe de détermination pour ce que la déduction *a priori* laisse indéterminé. Elle reste cependant subordonnée au système général du mécanisme, sa valeur et même son sens présupposant que la métaphysique ait réduit les corps à étendue, figure, mouvement. Le *Discours de la méthode* va plus loin, il opère un renversement, justement parce que les deux *Essais* physiques remontent moins haut. Descartes y reste fidèle à l'idéal de déduction : les phénomènes y sont déduits comme autant de conséquences. Mais il renonce à justifier métaphysiquement ses principes (qui ne sont plus les principes fondamentaux de toute la physique, mais, pour chaque domaine particulier, les propriétés structurales cachées). Il continue donc à les présenter les premiers, mais à titre de *suppositions*, par le biais de comparaisons. Il faut donc bien qu'il se résigne à faire la théorie d'une physique hypothético-déductive. L'expérience y gagne de prouver la vérité des suppositions, comme les suppositions expliquent la réalité observée des phénomènes. Certes la preuve expérimentale par convergence d'indices ne dépassera jamais la très grande probabilité, la certitude morale : c'est ainsi que le décrypteur, qui a saisi un message codé dont il ignore le code, n'aura jamais la certitude absolue de l'utilisateur régulier, qui connaît par avance le code. Mais peu importe à une science préoccupée surtout d'applications : si le code supposé rend compréhensible tous les messages, si nulle expérience ne contredit nos hypothèses initiales, leur certitude morale a la même valeur d'usage qu'une certitude absolue ou métaphysique. Elle ne se confond pourtant pas avec elle. On voit comment le projet de science universelle éclaire le renversement, caractéristique de la nouvelle physique. Il le limite aussi. Car il appartient au métaphysicien de revenir sur les principes, pour les déduire. Mais les a-t-il jamais vraiment déduits ? Une équivoque nous guette ici. On ne saurait tirer les vérités physiques ou mathématiques de la nature de Dieu puisque, selon Descartes, elles n'y sont pas contenues,

qu'elles sont librement créées. Le renversement opéré au profit de l'expérience n'était
peut-être que le renversement d'un ordre
d'exposition déjà dérivé : la vraie méthode
d'invention est l'analyse, la remontée vers les
principes, dont les *Essais* scientifiques ne
donnent que de loin en loin un aperçu (par
exemple avec la théorie de l'arc-en-ciel), et
dont la métaphysique est l'accomplissement.
Aussi, en même temps qu'il dessinait le système de la science expérimentale, ce qu'on
voudrait nommer le positivisme, Descartes
en a désigné les limites, que nous connaissons bien, et qui renvoient à ce qu'il appelle
métaphysique. Comme point de départ, contenu premier d'où il faudrait déduire les lois
de la physique, elle fait figure de trompe-
l'œil. Mais elle est d'abord tout autre chose,
rappel de l'esprit à lui-même et au fondement de la vérité, véracité divine qui élimine
tout arrière-monde mystérieux derrière le
monde clair et distinct du mécanisme, moins
point de départ que clef de voûte. La théorie de la science nouvelle est prise de part
en part dans le paradoxe de la métaphysique.

*Descartes philosophe : le système et la
différence.*

Le *Discours de la méthode*, première publication sans nom d'auteur, s'est imposé d'em-
blée comme l'œuvre cartésienne par excel-

lence. D'autres développeront davantage tel ou tel point, elles seront peut-être plus profondes, sûrement plus discutées. Aucune ne manifestera mieux l'esprit du cartésianisme. Alors que tant de thèses cartésiennes sont devenues désuètes, ce texte aurait plutôt perdu son pouvoir d'éveil pour être devenu trop classique. Il faut en retrouver la pointe, sans souci d'apologétique ni complaisance pour la patine des préjugés. Cette pointe est philosophique.

Croit-on que ces méditations, « si peu communes », nous aient formé le goût au point que nous ne pouvons plus en percevoir la saveur ? Avant de juger si la volonté de certitude est aujourd'hui « au goût de tout le monde », il faut chercher si le radicalisme cartésien, qui veut l'absolument indubitable, est bien le tic de mathématicien auquel on le réduit parfois. Contre les amis de la foi, toujours un peu obscure, et contre les amis de l'expérience, toujours un peu cousine de la probabilité, on fait à Descartes, selon les temps, l'honneur ou le procès d'avoir imposé le modèle unique de la démonstration mathématique. Mais la volonté cartésienne de certitude est d'abord volonté de *distinction*. Nul n'a mieux assis l'assurance, qu'il poursuit en tout sens, sur le refus de confondre. Comparez la seconde maxime, dans la morale par provision, avec le doute de la quatrième partie. Quand il est question d'agir, Descartes traite comme certain le probable, et même le cas échéant l'improbable. Mais suivre avec résolution le parti qu'on a choisi n'est pas le tenir pour vrai. Contre le goût ordinaire, qui est d'asservir le jugement en le rendant complice de l'action, le goût cartésien va à l'autre extrême : s'il est question de vérité, le probable est aussi suspect que le faux. Ce qui est cartésien est de distinguer, et d'abord conduite de la vie et recherche de la vérité. Qui ne sait pas les distinguer ne saura jamais ni bien agir ni penser juste : la pensée complice de l'action est la complice d'une action fluctuante au gré des pensées. Le bon sens, ou plutôt le sens bon, l'esprit sensé et avisé pousse le doute au-delà du raisonnable parce qu'il n'attend pas le rationnel pour agir. Il prend le temps d'attendre l'évidence, pour l'affirmer comme vraie, parce qu'il n'a pas laissé passer le temps d'agir, même dans la pénombre des urgences. Est-ce perdre l'unité de l'esprit, ou enfermer l'action et la connaissance dans des domaines ou des plans qui ne se recoupent plus ? L'esprit est un, et la méthode est une morale de la pensée qui ressemble étrangement à la méthode de l'action qu'est la morale. Distinguer n'est pas séparer, mais permet de réunir sans confondre. Soyons attentif au passage qui subordonne les trois maximes de la morale, qu'on a raison de dire universellement valables, à la quatrième, qu'on aurait tort de croire propre à Descartes, et comme sa vocation individuelle : la résolution dans l'action ne peut libérer du scrupule que celui qui vise en même temps la sagesse, c'est-à-dire la réconciliation réglée, « bien juger pour bien faire ». Descartes est un soldat, qui s'empresse d'exploiter toute victoire qui s'offre, et qui pense chaque vérité jusqu'au bout. Certes il faut bien qu'elles finissent par s'accorder, rien de moins cartésien que la lâcheté qui se résigne à la contradiction en séparant les plans. Mais, en attendant qu'elles se rejoignent, et pour qu'elles se rejoignent, chacune doit être pensée pour elle-même, jusqu'à ses dernières conséquences, sans souci des obscurités qui subsistent à droite et à gauche. A chaque jour suffit sa victoire. Il sera temps demain de changer de front, par une conversion que signale un verbe : *je m'avisai*. Toutes nos pensées et toutes nos actions doivent s'accorder, mais tout ne peut pas se faire en même temps. La volonté qui distingue peut ainsi rassembler sans confondre, en reconnaissant les différences. Différences aussi bien dans la longue chaîne des connaissances. Le sensible par exemple a sa certitude : elle n'est pas niée, ni réduite, mais cernée et reconnue comme originale. Car l'animal cartésien est une machine, et le corps de l'homme, mais non pas « le vrai homme ». Avec ses sentiments et ses appétits, il n'est pas dans son corps comme un pilote en son navire. On sait comme le XVIIe siècle a trouvé ici Descartes peu cartésien : rien de moins rationnel que l'âme substantiellement unie au corps ! Mais la raison cartésienne est autonome sans être toute-puissante : elle illumine ce qui lui échappe, elle pense ses propres limites. Ni fait expérimental, ni décret de théologien ne sont reçus par elle avant qu'elle ait, pour commencer, librement décidé de s'offrir à la censure, des faits et des théologiens : mais précisément elle s'y offre, de sa propre autorité souveraine. La volonté de certitude n'est pas le préjugé que toute certitude doit être de nature mathématique : l'évidence de la raison est l'instrument de mesure, tout y est mesuré mais non réduit. Point de modèle unique, mais une hiérarchie de modèles distincts, et distingués.

Pour les hiérarchiser, il faut être allé, une fois, une seule fois et une bonne fois, jusqu'au bout. Ce voyage au bout de l'*extravagance* s'appelle la métaphysique. Car la métaphysique est d'abord une manière de douter et ensuite une qualité ou un degré de certitude. Ou plutôt, c'est la pratique systématique du doute comme instrument pour détecter l'indubitable, l'évidence. La solidité d'une affirmation se mesure à l'extravagance des suppositions auxquelles elle résiste. Ici, le mathématicien perd pied : en donnant à l'esprit le goût de la démonstration rigoureuse, il a libéré une sorte de fureur d'indubitabilité qui se retourne contre lui. Plus exactement, la mathématique ne change pas, aussi indiffé-

rente à la péripétie métaphysique que notre
vision du soleil aux discours des astronomes :
mais l'esprit devenu métaphysicien la regarde
d'un autre œil. Dans le doute hyperbolique,
c'est-à-dire excessif ou exagéré, il se retourne
contre lui-même, et ainsi se rencontre. *Je
pense, donc je suis*. Le doute rencontre sa limite, l'indubitable, ou il se retourne sur lui-
même, pour s'affirmer dans son acte, comme
on préférera dire. Un principe infiniment
différent est découvert, qu'on ne sait d'abord
comment nommer. Par le doute, je me distingue de tout objet de pensée, et je m'aperçois
distinctement, ou comme distinct : la distinction de l'âme et du corps, comme on dira,
exige peut-être d'autres justifications, et soulève d'autres difficultés, elle trouve ici son origine. Cette affirmation de soi, cette vérité que
Descartes met en italiques dans la formule désormais canonique, s'énonce comme une déduction. Bien des commentateurs regrettent
pourtant le *donc*, trop logique ou discursif à
leur goût, et moins cartésien que l'affirmation
nue des *Méditations*, *je suis*, *j'existe*. Mais la
métaphysique cartésienne ne s'oppose pas à la
science, elle en est le début, elle est la première des sciences ou, mieux, l'acte de naissance de la science. La première démarche ré-
flexive est aussi modèle pour toute évidence
rationnelle, prototype d'où se tire une « règle
générale », le critère de la clarté et de la distinction. Elle ne se suffit pas, pourtant, elle ne
s'enferme pas et ne m'enferme pas en elle. Si

je me distingue de tout objet de pensée, distinction n'est pas séparation. Je ne puis penser sans penser quelque chose, et même sans penser Dieu, encore que je n'y pense pas. Car toute pensée finie qui se saisit comme finie se juge et se mesure par rapport à ce qu'elle n'est pas et voudrait bien être : plus l'extravagance du doute m'enfonce dans la conscience de mon imperfection, plus je prends conscience de ma distance à l'égard de l'infinie perfection. Il me suffit d'y réfléchir, de m'en aviser, pour être conduit au fondement de toutes les certitudes, à la garantie suprême de la science : l'existence de Dieu et sa véracité assurent la confiance naturelle de l'esprit, et son accord avec la vérité des choses. Dans sa hâte et sa volonté de simplifier, le *Discours* est aussi éloquent que les ouvrages plus élaborés. Point de Dieu trompeur ici, ni de Malin Génie, point de retour du doute après le *Cogito* pour menacer les évidences rationnelles. Descartes, dans un ouvrage écrit en français, a épargné ces épreuves à des lecteurs non préparés. Il y marche tout droit de certitude en certitude, du moi qui pense à Dieu auquel je pense, de Dieu aux vérités mathématiques puis aux certitudes sensibles. Mais, des sommets qu'il a atteints, il se retourne pour désigner rétrospectivement l'insuffisance du critère premier : « Car premièrement cela même que j'ai tantôt pris pour une règle, à savoir que les choses que nous concevons très clairement et très distinctement sont toutes vraies, n'est assuré qu'à cause que Dieu est ou existe. » Maintenant qu'il n'y a plus rien à craindre, il énonce, à l'irréel présent, un doute plus extravagant encore : « Si nous ne savions point que tout ce qui est en nous de réel, et de vrai, vient d'un être parfait et infini, pour claires et distinctes que fussent nos idées, nous n'aurions aucune raison qui nous assurât qu'elles eussent la perfection d'être vraies. » C'est du plus haut, de la certitude absolue ou métaphysique, que se jugent et se hiérarchisent tous les degrés : l'extravagance du doute y prend son véritable sens, son sens de vérité.

L'extravagance métaphysique est une péripétie décisive, elle n'est qu'une péripétie. Il faut redescendre de ces sommets, ou reconstruire sur ce fondement. Descartes semble aussi pressé d'en venir à la physique et à ses applications, à la connaissance d'une nature offerte par la véracité divine à notre maîtrise, théorique et pratique, que le philosophe platonicien est peu désireux de retourner dans la caverne. La métaphysique cartésienne fournit un premier maillon, il en faut bien d'autres pour constituer la longue *chaîne* : « Je serais bien aise de poursuivre et de faire voir ici toute la chaîne des autres vérités que j'ai déduites de ces premières. » En redescendant, on retrouve, les unes après les autres, les disciplines que l'on avait abandonnées les unes après les autres à l'extravagance du doute, au moment de la remontée. Chacune, tel un maillon, a ses

questions, ses méthodes, ses évidences. Chacune avait révélé, à l'occasion du doute, sa faiblesse, ou sa fragilité, la nécessité pour elle
d'être garantie. Sont-elles, après la péripétie
métaphysique, les mêmes, ou bien d'autres
meilleures ? Elles sont, désormais, « déduites » : mais déduction n'est pas réduction. La
véracité divine, en dissipant les brouillards du
doute, et l'inquiétante chimère d'un arrière-
fond mystérieux, permet à l'esprit d'accueillir,
en les enchaînant, la diversité des disciplines,
avec ce que chacune a de spécifique. La chaîne
est faite de maillons qui, en eux-mêmes, sont
restés les mêmes, hétérogènes et, si l'on ose
dire, inégaux. Mais ils sont tous « ajustés au niveau de la raison ». La certitude métaphysique
du premier maillon se propage à l'ensemble de
la chaîne, et chaque maillon, pourvu qu'il ait
été correctement rattaché aux précédents et
qu'il ait, en son propre domaine, toute la certitude dont ce domaine est susceptible, reçoit,
sans que rien soit en lui changé, le surcroît de
force que lui transmet sa « déduction ». C'est
ainsi que, dans la morale par provision, le parti
choisi, tout en restant aussi incertain en lui-
même, est pourtant en un autre sens très vrai
et très certain, « à cause que la raison qui nous
y a fait déterminer se trouve telle ». Et c'est
ainsi que, dans la construction de sa physique,
Descartes accepte toujours de jouer toute sa
philosophie sur n'importe laquelle de ses conclusions : car si l'on prétend attribuer au maillon le plus faible la même force qu'au maillon

le plus solide, réciproquement la chaîne entière n'a jamais que la force de son maillon le plus faible. Pari gagné sur le mouvement de la Terre : « Je confesse que, s'il est faux, tous les fondements de ma philosophie le sont aussi. » (A Mersenne, fin novembre 1633.) Pari perdu sur l'instantanéité de la lumière : « Si on m'en pouvait prouver la fausseté, je serais prêt à confesser que je ne sais rien en philosophie. » (A Beeckman, 22 août 1634.) L'important est sans doute que le dogmatisme cartésien devait nécessairement jouer ce jeu fou, puisqu'il voulait l'unité de la chaîne sans rien sacrifier de la spécificité des maillons.

Le jeu a été joué, il a été perdu, et — selon toute vraisemblance — il ne pouvait pas être gagné : il nous a laissés devant l'opposition entre une raison individuelle, puissance de critique, et une pluralité de disciplines sans unité. De ce coup de dés, il reste la tentation d'un jeu qui ne peut pas, selon toute vraisemblance, être gagné : la philosophie, qui consiste à jouer justement contre la vraisemblance. Il en reste aussi un ouvrage, le *Discours de la méthode* : curieusement, on ne le lit plus guère et il a la réputation d'énoncer des banalités depuis que nul ne se risque sur les chemins qu'il proposait.

J.-M. Beyssade.

NOTES

P. 94

1. Le collège de La Flèche, fondé en 1604 par les jésuites, où Descartes, né en 1596, fut élève pendant huit ans (peut-être de 1606 à 1614).

P. 98 et p. 120

2. Des philosophes stoïciens, Descartes examine ici seulement la morale, en particulier ce qu'on appelle les paradoxes du sage. Pour les stoïciens, ce qui dépend de la fortune, la douleur par exemple, n'est jamais un mal (n'est-ce point de l'*insensibilité ?*); la félicité du sage, qui se confond avec sa vertu, ne dépend que de lui, et elle est égale à la félicité des dieux (n'est-ce point de l'*orgueil ?*). De même, le suicide philosophique (de Caton à Utique après sa défaite, par exemple) n'est-il pas *désespoir*, et le tyrannicide (de César par son fils adoptif Brutus) un *parricide ?*

P. 102 et p. 123

3. Au moment où Descartes rédigeait le *Discours de la méthode*, la guerre (de Trente

Ans) n'était pas terminée. Elle avait éclaté en 1618 : quand les protestants de Bohême se soulevèrent contre leur souverain catholique, Ferdinand, et choisirent pour roi l'Electeur Palatin (vaincu en 1620, il dut se réfugier avec sa famille en Hollande, où l'une de ses filles, la princesse Elisabeth, devint après 1643 la correspondante et l'amie de Descartes). Elu empereur, Ferdinand II fut couronné à Francfort pendant l'été de 1619. Le duc de Bavière lui apportait le soutien de son armée, que Descartes entreprit, après le couronnement, de rejoindre pour y servir (comme officier sans solde). Descartes aurait passé l'hiver de 1619 à 1620 dans la région d'Ulm ou de Neuburg sur les bords du Danube.

P. 104

4. A l'époque classique, on attribuait au seul Lycurgue, législateur de Sparte, un régime dont plusieurs traits (comme la pratique du vol à la tire dans la formation des enfants) figuraient au catalogue traditionnel des « étrangetés » *contraires aux bonnes mœurs*, quoique le tout fournît le type achevé d'une bonne constitution.

P. 109

5. La logique aristotélicienne, et spécialement la théorie du syllogisme démonstratif, du type : *Tout A est B, or x est A, donc x est B*, paraît à Descartes un instrument pour exposer la vérité, mais non pour la chercher :

car on suppose dans la majeure, *tout A est B*, la vérité de la conclusion.

P. 109, p. 110, et p. 113

6. Chez les mathématiciens ou « géomètres » (les deux mots sont synonymes) de l'Antiquité, Descartes croit apercevoir une méthode d'invention, qui consiste à résoudre ou *analyser* une figure géométrique en ses composants, par exhaustion. Cette méthode aurait été pratiquée par Archimède et Apollonius, et définie par Pappus. Mais les Anciens l'auraient d'ordinaire tenue secrète, en exposant leurs résultats selon la méthode de synthèse ou composition, dont la Géométrie d'Euclide fournit l'exemple le plus célèbre.

P. 109, p. 110, et p. 113

7. Inventée par les Arabes et, peut-être, les Grecs, l'algèbre est connue de Descartes sous la forme « moderne » que lui avaient donnée notamment Viéte (1540-1603) et le père Clavius (dont l'*Algèbre* fut publiée en 1612).

P. 109

8. L'*ars magna* ou grand art de Raymond Lulle (1233 ?-1315 ?) est résumé dans l'*Ars brevis* de 1308. Descartes a toujours soupçonné cette combinatoire de concepts d'être purement formelle, et de n'enrichir en rien le contenu de la pensée (Lettres à Beeckman du 26 mars et du 29 avril 1619).

P. 112

9. La scolastique donnait le nom de mathématiques à toutes les disciplines qui exa-
minent l'ordre ou la mesure, « peu importe
que cette mesure soit à chercher dans des
nombres, des figures, des astres, des sons, ou
quelque autre objet », comme à « l'astrono-
mie, la musique, l'optique, la mécanique et
beaucoup d'autres sciences » (*Regulae* - IV).

P. 116, et p. 121

10. Trois alinéas présentent trois règles
ou maximes (« la première », « ma seconde
maxime », « ma troisième maxime ») : mais
elles sont fondées, toutes les trois, sur « le
dessein... de continuer à m'instruire », qui est
la « conclusion de cette morale ». Quand Descartes reviendra sur ces maximes, au terme de
son itinéraire philosophique, dans la lettre à
Elisabeth du 4 août 1645, cette « conclusion »
naturellement n'aura plus à intervenir à part;
par contre, les trois autres règles seront reprises (compte tenu des connaissances désormais
acquises).

P. 125

11. Au cours d'une conférence donnée par
le sieur de Chandoux chez le nonce du pape à
Paris, sans doute en 1627, Descartes étonna le
public en établissant d'une part avec quelle
facilité notre esprit devient la dupe de la vraisemblance, d'autre part par quel moyen infail-

lible on pourrait démontrer si une question est soluble, et quelle est sa solution si elle est soluble. Le cardinal de Bérulle, qui était présent, aurait, à la suite de cette discussion, invité Descartes à se consacrer à la philosophie.

P. 126

12. Descartes séjourna dans les Provinces-Unies (qu'on appelle souvent Hollande du nom de leur principale province) de 1628 à 1649, à l'exception de brefs voyages en France. Il y changea souvent de résidence, soucieux de tranquillité (le *désert* signifie l'absence de relations importunes), mais aussi de confort et des commodités intellectuelles (bibliothèques, facilités pour les dissections d'animaux, relations amicales avec les savants, etc.)

P. 139

13. Ce traité, commencé en 1629 et abandonné en 1633 alors qu'il était presque terminé, n'a pas été publié du vivant de Descartes. Il nous en est resté les quinze chapitres du *Monde* ou *Traité de la Lumière*, et le traité de l'*Homme*, qui lui faisait suite puisqu'il commençait, dans le manuscrit, par : *Chapitre XVIII*. Ces textes furent publiés à partir de 1662.

P. 139, p. 161 et p. 176

14. En novembre 1633, Descartes apprit la condamnation de Galilée par le Saint-Office. La patente, imprimée à Liège le 20 septembre

1633, précisait que, « quoiqu'il ait fait semblant de proposer le mouvement de la terre à titre d'hypothèse », c'est-à-dire comme un artifice commode pour les calculs astronomiques mais sans prétention à la vérité physique (ce que permettait une décision romaine de 1620), Galilée était convaincu d'avoir « suivi la doctrine » hérétique, ou au moins « estimé qu'on pouvait la défendre comme probable » (ce qui le faisait tomber sous le coup d'une censure romaine de 1616). Descartes refuse ici de donner son opinion sur « le mouvement défendu ». En 1633, elle était catégorique : « S'il est faux, tous les fondements de ma philosophie le sont aussi. » Il renonça, sur-le-champ, à publier et même à faire voir son traité, à peu près terminé, qu'il pensait envoyer à Mersenne pour ses étrennes.

P. 140

15. La physique scolastique ajoutait aux propriétés géométriques des corps les *qualités réelles* (par exemple le chaud, le froid, le sec, l'humide), qui définissent leurs propriétés, et les *formes substantielles* (par exemple le feu), qui sont les principes de leurs actions.

P. 144

16. La philosophie scolastique distinguait dans l'âme, *anima*, différentes fonctions : se nourrir est l'acte de l'âme végétative, sentir est l'acte de l'âme sensitive, penser est l'acte de l'âme intellectuelle ou raisonnable. Des-

cartes ne connaît d'âme que l'âme raisonnable, *animus*, qu'il appelle aussi esprit, entendement ou raison : ce qu'on appelle chez
les animaux âme ou vie n'est pour lui que mécanisme, ou feu sans lumière.

P. 149

17. Harvey (1578-1657) a découvert la circulation du sang, et Descartes a connu son
ouvrage, *Exercitatio anatomica de motu cor-
dis et sanguinis in animalibus* (1628) par Mersenne avant de le lire (dans l'hiver de 1632). Il
s'est « trouvé un peu différent de son opinion », non quant au fait de la circulation,
mais quant à son explication : la contractilité
du cœur lui paraît une qualité occulte comme
les vertus de la scolastique, et il croit à tort
pouvoir en faire l'économie en expliquant
l'ensemble du phénomène par une dilatation
due à la chaleur.

P. 155

18. Sens commun, mémoire et fantaisie sont
des parties du cerveau correspondant à des
fonctions différentes, bref ce que nous appellerions des centres nerveux supérieurs. Descartes finira par les identifier en les locali-
sant dans le *conarion* ou *glande pinéale*,
c'est-à-dire l'épiphyse, le seul organe unique
qu'il ait trouvé à l'intérieur du cerveau.

P. 180

19. Le Discours X de la *Dioptrique* expose

une façon nouvelle de tailler les verres, que Descartes avait espéré contrôler lui-même en faisant travailler à côté de lui Ferrier. Ce projet de 1629 ne s'était pas réalisé.

TABLE

IMPRIMÉ EN FRANCE PAR BRODARD ET TAUPIN
Usine de La Flèche (Sarthe).
LIBRAIRIE GÉNÉRALE FRANÇAISE - 6, rue Pierre-Sarrazin - 75006 Paris.

ISBN : 2-253-01218-1   ♦ 30/2593/9